易經養生全解

【千古第一奇書的終極養生法】

張其成◎著

推薦序

一本「懂易」、「返璞歸真」、「生活養生」的經典鉅作

第一眼看到書名《易經養生全解》，就有一股親切感；接著翻看前言〈我們都可以用易經來養生〉，更是心有戚戚焉！越讀越「不忍釋手」，好一本「懂易」、「返璞歸真」、「生活養生」健康保健的經典鉅作，讀來「內心澎湃」。

「懂易」是真的理解了《易經》的精髓，而不是誇誇其談，玄虛了《易經》的文字。因此，一位「懂易」的人寫就有關「易經養生」的文章，會讓人「一目瞭然」，看的「易懂」非常。在點點滴滴時空變化、歲月遞迭的歷程中，很自然地引領著讀者與日常生活相類化，極其簡易的體悟到「人」與「天」、「地」相應的宇宙自然規律，並發覺原來「至簡至易」的日常生活，從未想到會因為生活環境暨每個人習性的異同，而自然發展出有規律的「個別差異——不同體質」；循此規則、有所依據，溯本追源，就很容易理出每個人不同疾病的根源，而對症調治。更重要的是「預防重於治療」、「上醫治未病」，可經由瞭解「人與天、地」自然運行的規律，將會產生的結果，事先選用正確的養生保健方法，達到「不病」、「健康長壽」

的目的。

《易經養生全解》可說是一本將「易經、黃帝內經、中華傳統醫學」融會貫通的養生保健工具書。作者指出：「學《易》很簡單，學《易》無非陰陽；用《易》養生很簡單，《易經》養生無非八卦！」認為《易經》乃是通過「天、地、人」三方面認識宇宙本質，揭示宇宙規律。我們要探索人體生命的本質，自然離不開《易經》，通過《易經》陰陽八卦（八卦是四種陰陽，是陰陽的細分、是對陰陽的一種量化），我們可以「辨別體質、區別不同階段的養生特點、把握我們自己的生命」，如此才能夠準確且全面認識生命本質。只有瞭解了生命本質之所在，才能更好地去養護它。

本書除了以《易經》為精神、為骨幹，並融合了《黃帝內經》「順天應人、天人合一」的自然養生觀，再輔以中華傳統醫學各自不同的「醫方實證」；文字淺顯易懂，不時可看到自己生活的影子，經由深入淺出的說明與實證，「當下瞭然」自己的體質屬性，潛移默化改變自己的生活習性，並能具體實施對應養生方法，這樣就很簡易的能夠在日常生活中養生保健，得到祛病、不病、健康長壽的目的。

整本書融合了「天、地、人」的互動關係，用《易經》陰陽八卦將生辰年歲、時令、地理、風水、臟腑，具體而微的貫穿，有醫理、有方法，明確不隱晦，並且融會古今，詳細舉出淺顯易懂的實例。例如：

「東方屬震卦……代表陽氣初生，對應春分節氣，五行屬木。」「故東方之城，天地之所始生也，魚鹽之地，海濱傍水，其民食魚而嗜鹹，皆安其處，美其食，魚者使人熱中，鹽者勝血，故其民皆黑色疏理，其病皆為癰瘍，其治宜砭石，故砭石者，亦從東方來。」……（有很詳細的白話說明，在此不贅述。）由於長年地理、氣候與飲食習慣的緣故，「人就容易得癰瘍等病症，預防治療一般用砭石，……而在中醫各種治療方法中，砭石治療也恰恰來自東方。」

「說到養生，就要未病先防，……可以用刮痧的辦法使身體的濕毒外排。現在不單單是東方，各個地區的人都用刮痧排毒祛熱、疏經通絡，它防病治病的效果是很明顯的」。

同樣的原理，因此，西方治宜藥物，「……其民華食而脂肥……其病生於內，其治宜毒藥……」、北方治宜艾灸，「……風寒冰冽，其民樂野處乳食，臟寒生滿病，其治宜灸焫……」、南方治宜九針，「……水土弱，霧露之所聚也，其民嗜酸而食胕，……其病攣庳，其治宜微針……」、中央治宜導引按摩，「……其地平以濕，……其民食雜而不勞，故其病多痿厥寒熱，其治宜導引按蹻……」

「不同的時地，造就不同的體質」，預防保健、養生治病，當然必須要依循不同的體質、追究不同的致病原因，對症調理，才能有效，這是最簡單易行且不變的法則。上述例子指出一個基本原則，但絕不是「南方人一定生南方病」，而是：「南方人如果居住的環境、飲食習慣等類似北方人，也就可能罹患北方病；因此，南方人如果生的是北方病，對症治病的方法就不宜用九針，而是艾灸了。」

再者，上述例子還點出一個極其重要的觀念，就是「整合療法」。因為病機的不同，「東方治宜砭石」、「西方治宜毒藥（藥物）」、「北方治宜灸爇（艾灸）」、「南方治宜微針（九針）」、「中央治宜導引按蹻（導引按摩）」，若是南方人生了南方病，同時又因科學進步，終日生活在冷氣空調中，加上飲食習慣的改變，嗜食肥甘，此時除了南方病還加上西方、北方，就不是一方到底，而是依此原則，整合調理。

因此，作者加強闡釋了《易經》八卦的全息健康律，具體舉證人身八卦、手診、耳穴全息健康律。暨《易經》八卦的經穴按摩法，用八個穴位養護全身的健康，並詳細介紹「打通任督二脈」的小周天功法。

人體健康脫離不了「身、心、靈」三者之間的協和，末尾二章《易經》養生卦的關鍵點、《易經》的風水養生，顛覆了世俗習性，以心性修為提振身體健康為標的，「營造心中的好風水，健康在於好心境」，「窮也樂，達也樂，大家快樂，才是真的快樂」，做了完美的結語。

「《易經》養生，只在於捕捉我們生命的本質，因為《易經》本身體現的就是宇宙大規律。」讀完這本書，更加深了我對《易經》的體悟，「大道至易」、「易就是簡單自然的生活法則」。

近五十年，個人醉心學習「中華傳統醫學（現況分為1.中醫：僅存中藥、針灸，2.傳統醫學民間療法）」，喜研「易理陰陽、五行八卦」，忝為台北縣易經學會理事長。卅年前推行「少年兒童古文詩詞快樂學習法」，獲當時教育部長、教育廳認同，推薦給全國中小學實施。得到一個深刻的體會：中華文化、中國傳統醫學博大精深，雖然簡單易學，但若要真正振興中華文化，傳承、創新中國傳統醫學，卻又存在著一定的難度，必須同時具備三個基本條件，缺一不可，否則無法通透，只能粗通皮毛，而無法深入我國傳統醫學的精髓。這三個基本條件是：

1.文言文的閱讀能力。所有中華文化、中醫藥典籍，幾乎全是文言文，看懂古文，才能夠深入中醫古籍的堂奧。

2.「易理陰陽、五行八卦」的理解能力。《易經》乃是中華文化的精神、中國傳統醫學的理論基礎，不「懂易」，如何深入中國傳統醫學的精髓？

3.除了中醫（中藥、針灸），同時還要有傳統醫學民間療法的臨床經驗。長久以來，因為簡單易學，又具實效，漸次在「祖傳、秘傳、留一手」、「神話故事包裝」中湮滅、失傳，淪落江湖，至清末政治腐敗、民族自信心的喪失，更是雪上加霜，全成了「失落的國寶」；但無可否認，它們確實都是西醫東漸前，救治百姓、延續民族命脈的我國醫學瑰寶啊！

數十年的摸索、揣摩，剛理出些許頭緒，深諳中華醫學的大老，如馬光亞先生……等漸次凋零，或如巫水生、姜通先生……等年華老去，今日得見本書能將上述三者融會貫通、行雲流水、不著痕跡，不「神奇鬼怪」、不「數典忘祖」、不「譁眾取寵」，乃「真大師也」，禁不住「內心澎湃」，雀躍之情不可言諭。

非常榮幸，能夠有此機緣，為這本《易經養生全解》經典之作寫序，閱讀中，得到豐富的學習。名為寫序，事實是記下了我的「讀書心得」，滿心歡喜、感恩，期待快快發行，利益大眾，樂為之序！

台北縣易經學會理事長
科學氣功學會理事長
吳長新

目錄

第三章 《易經》八卦的時令養生 101

第四章 《易經》八卦的臟腑養生 157

前言 我們都可以用《易經》來養生

如果有一種學問，它能涵括宇宙，把人世間一切事都講明白，那就一定是《易》。既然說《易》無所不包，那它能養生嗎？其實《易》正好用於養生。一部《易經》就兩個字——陰陽。女人男人是陰陽，我們的肚腹和肩背是陰陽，我們的腳和頭還是一對陰陽。這是最大的、最廣的分類。

中國有句老話：「人無完人。」沒有完美的人，其實就是沒有真正的陰陽完全調和的人，以致我們會生病，今天受熱，明天受涼。如果陰陽完全調和了，恐怕也就沒有病和死了。雖然現實世界中生死不能避免，但病弱可以調節。比如說素體陽虛，那就培植你的陽氣，多簡單啊！學《易》很簡單，學《易》無非陰陽；用《易》養生很簡單，《易經》養生無非八卦！

八卦是陰陽的細化。把陰陽分成八卦，也就足以解釋關於我們身體的各種正常的、不正常的現象了。這是非常神奇的，但又最科學、最實用的。雖然只有八個大的分類，可是對於我們養生來說，已經足夠了。

《易經》與其傳文相結合也稱《周易》，《周易》書名的意思就是日月（宇宙）

的週期變化，而養生的真諦也在弄清我們身體的週期變化。上古先民用《易》對宇宙生命進行占問，從表面上看它是占卜書，但從本質上看則是探索宇宙變化規律和人生奧祕的著作。

《易經》養生的大規律總結起來為：

順逆結合——順天逆人
內外結合——內求外仿
形神結合——重神輕形
動靜結合——內靜外動
剛柔結合——以柔克剛
時空結合——重時輕空
藥食結合——以食為主

具體來說，八卦養生實際上就是陰陽養生，是我們老百姓天天會遇見的。只不過陰陽經過八卦的分類，可以將陰陽更加細分，這樣養生就更加有針對性。

八卦是四種陰陽，八卦是對陰陽的一種量化，實際上我們辨別體質，就是要分辨陰陽。而陰陽在我們養生過程中的每一個方面都體現出來。包括用陰陽八卦來辨別體質，用陰陽八卦來區別不同階段的養生特點，以及如何用陰陽八卦來把握我們自己的生命。

《易經》養生，只在於捕捉我們生命的本質，因為《易經》本身體現的就是宇宙的大規律。同時《易經》只用「一陰一陽之為道」來表達生命，所以《易經》養生又是一種簡單化的養生。

自古以來，世人對臟腑與八卦的配屬有多種不同的意見，從醫、易兩個角度來講，最權威的配屬方法之一是《靈樞》所載的配屬方式。下面的表格列出的就是本書採用的配屬方式。

八卦配屬

卦名	自然	特性	家人	肢體	方位	季節	五行	《靈樞》八卦臟腑分配
乾	天	健	父	首	西北	秋冬間	金	小腸
兌	澤	悅	少女	口	西	秋	金	肺（開竅為鼻）
離	火	麗	次女	目	南	夏	火	心（開竅為舌）
震	雷	動	長男	足	東	春	木	肝（開竅為目）
巽	風	入	長女	股	東南	春夏間	木	胃
坎	水	陷	次男	耳	北	冬	水	腎（開竅為耳、二陰）
艮	山	止	少男	手	東北	冬春間	土	大腸
坤	地	順	母	腹	西南	夏秋間	土	脾（開竅為口）

注：另一種配屬法是文王八卦所載的配屬方式，乾—大腸，兌—肺，離—心、小腸，震—膽，巽—肝，坎—腎、膀胱，艮—胃，坤—脾。

我在《易學與中醫》一書中第五章裡也對許多醫家的配法做了闡述。

第一章

《易經》八卦的生命本質

《易經》通過「天、地、人」三方面認識宇宙的本質，揭示宇宙的規律。當我們要探索人體生命的本質，自然離不開《易經》。透過《易經》八卦，我們可以準確且全面認識生命本質，只有了解了生命本質之所在，才能更好地去養護它。

每一個人的出生，都有著自己的時空定位。相同時空定位對不同的人也會產生不同的影響。天、地、人三者之間的微妙關係，在《易經》八卦的卦象中一一向世人展現。

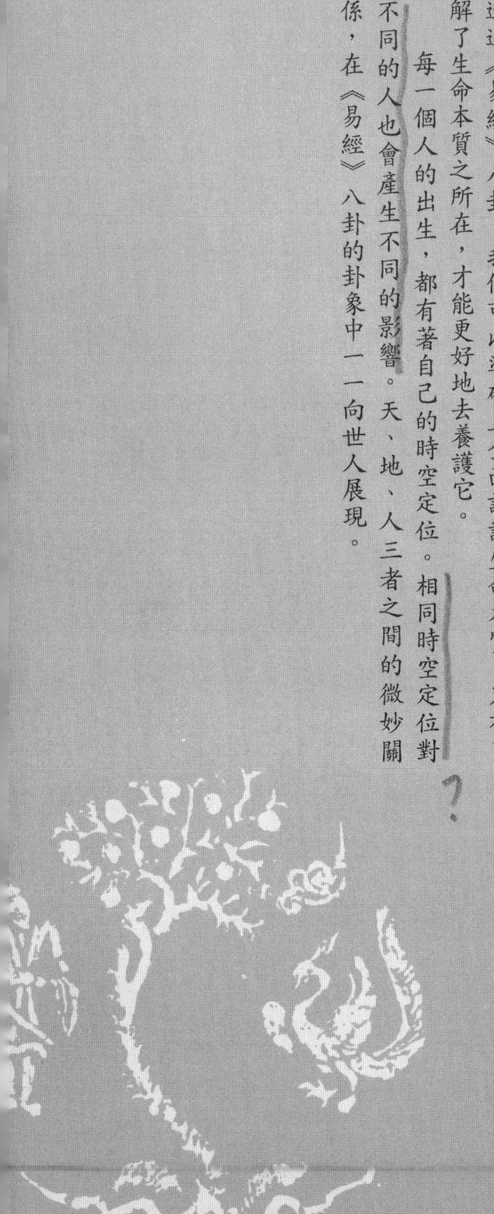

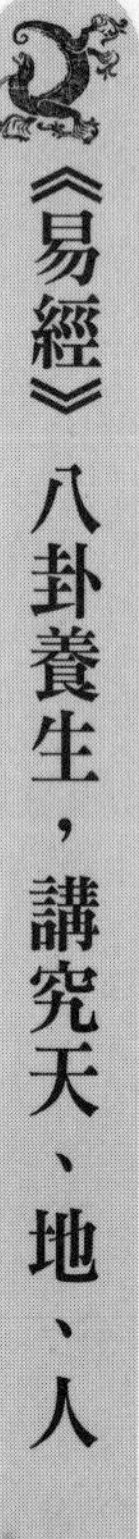

《易經》八卦養生，講究天、地、人

一盆花，需要澆多少水、施多少肥、給多長時間的日照，每個品種都不一樣。再比如，把松樹植到南方，把棕櫚放到北方，就會覺得不倫不類。為什麼？因為這樣做破壞了生物本身的規律。養「人」跟養花養草道理一樣。在我們對自己的身體還不了解的時候，根本就談不上「養」。本來是水仙的體質，喜寒涼喜水潤，可是偏按仙人掌來養，越賣力反而越糟糕。這種南轅北轍的情況並不少見，是現代人養生過程中存在的一個很大問題。

所以，在談養生之前最重要的是，先弄明白自己究竟是什麼體質的人，然後才能按病抓藥，藥到病除。

怎麼準確地判斷自己的體質呢？《易經》僅僅給了我們三個字：天、地、人。八卦本身就是：我們的人文始祖伏羲氏從天文、地理、人事三個方面考察萬物，最終推演出來的。那我們要認識一個人，也必須從天地人三個方面、三個要素來考察。

天時，決定運勢的因素

人跟人的不同究竟不同在哪兒？第一就是你出生的時機。比如生在六十年代初，自然災害頻仍的那個時代，那時的氣候變化是失常的，自然環境是惡劣的，也就註定那時出生的人先天體質存在很多缺失。這是你出生的時間所決定的，寬泛地說，它決定了你的運勢，通俗地說，它決定了你先天身體的稟賦。

地利，一方水土養一方人

天之下就是地。《周易．繫辭上》說：「仰以觀於天文，俯以察於地理。」春秋戰國時也有「南蠻、北狄、東戎、西夷」的說法。「夷、狄、戎、蠻」開始時並無貶義，而是用來表現各地人們的自然生活狀況。人類生活的自然環境有山川丘陵、水濱海岸、荒漠平原，各地人所適應的地理環境不同，他們所反映出來的生理特點和病理變化自然也就各有差異。

諸葛亮在《將苑》中曾有過這樣的描述：「南蠻多種……居洞依山，或聚或散，西至崑崙，東至洋海，海產奇貨，敵人貪而勇戰，春夏多疾疫……」意思是說，南方有很多民族，他們平時住在山洞水邊，有的民族聚集一處，有的民族則分散在各處，西到崑崙山、東到大海都是他們活動的範圍，他們那裡盛產奇貨，人人貪婪好戰，春夏兩季常發生瘟疫。

這是把南方人當成戰敵來分析時的話，但從中也可看出各地人由於居地相異而產生的不同。南方人住在山洞水邊，春夏常得瘟疫，這就是「地」這個因素帶給他們的影響。

諸葛亮又說：「北狄居無城郭，隨逐水草……饑則捕獸飲乳，寒則寢皮服裘，奔走射獵，以殺為務……漢卒且耕且戰，故疲而怯；虜但牧獵，故逸而勇……」大概意思是說，北方民族居無定所，以捕獵為生。中原地區的漢兵一邊耕地一邊打仗，所以疲乏且膽怯；而北方少數民族習慣了牧獵生活，所以打仗時相對輕鬆且勇猛。「狄」字本身就有強悍有力、行動疾快等含義。

其實現在的北方人還是形體偏大、民風粗獷的，他們的身體跟南方人的身體特徵當然也就大有不同了，在養生時也就不能一概而論，要分別對待。

人體，養生之要鑰

對於養生來說，「人」是最重要的因素，具有決定性的作用。人的要素裡最重要的是體質和性格，古代的面相、手相只是人性格和體質的一種外在表現。而「有諸內必形諸外」，內在的體質性格必然會通過外部反映出來，所以從面相、手相中觀察人的身體狀況，是有道理的。比如中醫的「望診」，其實就是觀象，現在主要是觀舌象。過去還包括觀面相，這一點在《黃帝內經》中有一篇《五色篇》就詳細介紹了怎麼觀面相。

當然，只觀察面相、手相容易造成主觀臆斷，所以還必須進行潛意識測試，這是我們多年來摸索的一種人格意象分析法。這種方法比意識層面的測試更加客觀準確。

對古人各種有關性格命運的測試方法，比如納音、四柱、梅易、紫微斗數、面相手相等方法，我們一定要採取科學的態度。如果絕對相信它，那就是迷信；如果批判性、選擇性地吸收其合理部分，那在現實生活中就可以發揮作用。

我經常說一句話，真理和謬誤就相差零點一毫米，就是說，對某一個東西要是用得適中就是真理，要是用得太過或不及就是謬誤。所以對古人看面相、手相，不必害怕，更不必恐慌，貴在合理地吸收和取捨。

關於五行識人三要素中，天時、地利、人體的具體內容，將在下面分別講述。

天，出生的時間影響先天體質

出生時間對健康的影響只是一個參考

天的要素包括了自然環境、氣候變化等等。某著名醫院獲得美國基金會一項研究課題，就是研究七〇年以前在特定時間出生的人，他們目前身體疾病譜的情況，這說明出生的時間與人的身體狀況是有一定關係的。

在性格判斷方面，古人一般只考慮出生時間。在古人眼裡，出生的時間就反映出五運六氣，因為古代的年、月、日、時都是用天干和地支來表示的。天干和地支當中就蘊藏著天氣和物候的資訊。

以為人的出生年月能決定一個人的一生，那當然是不夠科學的。雖然人的出生時間與人體的生理狀況性格等有一定關係，但是如果把出生的時間當作決定因素，那就是以偏概全，把必要條件當成了充分條件。出生時間充其量只是人體身體狀況和性格特徵的必要條件之一，絕不是充分條件，不能決定一生。

那麼一個人的出生時間會不會影響到一個人的健康？現在先從出生的時間是否

影響健康開始探討。俗話說：「生死有命，富貴在天。」如果說一個人的出生時間影響著他的命運，那同時也影響了一生的健康。

出生時間配屬八卦的正確計算方法

在「天」這個要素中，首先要考慮的是出生的時間，這個時間應該怎麼計算？這在與《易經》相關的古籍《梅花易數》中有記載。

一個人出生的時間，不外乎年、月、日、時，值得注意的是，在計算時我們都要用農曆的時間。

古代紀年是按照天干地支來記錄的。我們只看地支就可以，這樣一來就變得非常簡單。每一個人都知道自己屬相，把自己的屬按「鼠、牛、虎、兔、龍、蛇、馬、羊、猴、雞、犬、豬」分別配以數字1～12，屬鼠配1，屬牛配2，依次類推。

月的取數，農曆幾月就取幾；日的取數亦然，農曆幾日就取數字幾。

時，指時辰。大家都知道一天有十二時辰，每兩個小時為一個時辰，如從半夜的十一時到凌晨的一時為子時。十二個時辰的排序依次是子1，丑2，寅3，卯4，辰5，巳6，午7，未8，申9，酉10，戌11，亥12。

這樣我們就有了判斷天時的四個要素，這個要素的數字加起來的總和除以8，所得到的餘數就是一個卦。要特別注意，我們要的是除以8後的餘數。這裡會有一種特殊的情況，那就是除盡了，沒有餘數，這時我們就取8，而不是0。這樣就會有餘數1～8，相對應的就是八個卦依次為：「乾一，兌二，離三，震四，巽五，坎六，艮七，坤八。」

比如一個人的西曆生日是一九六〇年五月十八日，出生時間是上午十點，從市面流通的曆書上就可以查出他的農曆生日是庚子年四月二十三日。鼠年的地支是子，取數1；上午十點是巳時，取數6。

1（年）＋4（月）＋23（日）＋6（時）＝34

34除以8，餘數是2。這個人的天卦就是兌卦。

一般的占卜算命就根據這個天卦來判斷一生的運勢吉凶了，但是我們是用《易經》來談養生的，是本著一種科學的態度在探討，所以得出天卦後，最好根據個人的地卦還有人卦，綜合地進行分析才更準確。

八卦人屬性速算表

第一步：出生年，按照地支配屬計算年的數字

十二地支	子	丑	寅	卯	辰	巳	午	未	申	酉	戌	亥
十二生肖	鼠	牛	虎	兔	龍	蛇	馬	羊	猴	雞	犬	豬
相應數字	1	2	3	4	5	6	7	8	9	10	11	12

第二步：出生月，按照農曆的月份計算

相應月份農曆	正月	二月	三月	四月	五月	六月	七月	八月	九月	十月	十一月	十二月
相應數字	1	2	3	4	5	6	7	8	9	10	11	12

第三步：出生日，按照出生時間的日期，農曆的幾日就取數位幾

第四步：出生時，按照十二時辰計算「時」的數字時間

十二地支	子	丑	寅	卯	辰	巳	午	未	申	酉	戌	亥
相應時間	23~1	1~3	3~5	5~7	7~9	9~11	11~13	13~15	15~17	17~19	19~21	21~23
相應數字	1	2	3	4	5	6	7	8	9	10	11	12

結果：以上四個數字的和，除以 8 的餘數，得出對應的卦象

餘數	1	2	3	4	5	6	7	8（0）
相應卦象	乾	兌	離	震	巽	坎	艮	坤

地，出生的地點影響健康

第二個要素是地。就是考慮出生的地點和方位，以此來判斷一個人的性格命運，比如有納音、四柱、梅易等。應該說，不同的方位、不同的地方人群，他們的性格是有一定差異的。比如說南方人和北方人，沿海人和西部人，上海人和北京人，他們總體個性上都會有一定差異，表現為一種文化的差異。所以，方位也是判斷人性格的必要條件之一。但同樣也不能以偏概全，不能認為只看方位就能決定人的性格。

每個人的出生都有一個時空定位，時間和空間的定位，上面一節已經講了出生的時間，這裡我們講出生地點對一個人體質的影響。

「橘生淮南則為橘，生於淮北則為枳。」《晏子春秋・雜下之十》中說明了一個道理，環境變了，事物的性質也變了。為什麼呢？原因為「水土異也」。一般來說，南邊的人大多偏熱，而北方的人大多偏寒。當然這也不是絕對的。實際上，現代人大多是偏熱的，這是因為現在的壓力、飲食所致。

出生的地方劃分也是一個地方一個卦，這裡介紹的就是文王八卦，以河南省為中心，加四面八方。河南省就是中，屬土；其他八方，東方屬震、南方屬離、西方屬兌、北方屬坎、東南方屬巽、西南方屬坤、西北方屬乾、東北方屬艮。過去，「中」被認為是最尊貴的一方，也被稱作「中宮」，是統治者的象徵，東西南北方都受中央的管轄。四個隅位，東南為木（巽），西南為土（坤），西北為金（乾），東北為土（艮）。

如果是河南的正南邊就是屬火，八卦裡就是離卦，這都完全一樣的。以河南為中心，山東大體上在東邊，屬木，你的五行就是木，這個要素的五行就是木。北京當然就是水。山西屬西邊，屬金。上海是木。武漢是火，它在河南的南邊。

文王八卦方位之圖

九宮八卦圖

因為從文獻考察來看，「五方」觀念是「五行」的源頭之一，五方早期就有了五行的規定性，所以依據八卦的方位是可以配以五行的。而且《說卦傳》在闡述八卦的取象時，已經說了「乾為金」、「巽為木」、「坎為水」、「離為火」。而其他四卦也隱含了五行屬性，如「坤為地」、「艮為山」，地和山都屬土；「兌為毀折，為剛鹵」，隱含具有金的屬性；「震為決躁，為蕃鮮」，隱含具有木的屬性。那麼就是乾兌為金，坤艮為土，震巽為木，坎為水，離為火。

周易《說卦傳》第五章裡，有如下的介紹：

帝出乎震，齊乎巽，相見乎離，致役乎坤，說言乎兌，戰乎乾，勞乎坎，成言乎艮。萬物出乎震，震，東方也。齊乎巽，巽，東南也，齊也者，言萬物之絜齊也。離也者，明也，萬物皆相見，南方之卦也。聖人南面而聽天下，向明而治，蓋取諸此也。坤也者，地也，萬物皆致養焉，故曰致役乎坤。兌，正秋也，萬物之所說也，故曰說言乎兌。戰乎乾，乾，西北之卦也，言陰陽相薄也。坎者，水也，正北方之卦也，勞卦也，萬物之所歸也，故曰勞乎坎。艮，東北之卦也，萬物之所成終而所成始也，故曰成言乎艮。

每個方位的人各有養生關鍵

在《黃帝內經．異法方宜論篇》中提到每個方位人的特點，結合八卦方位，可以總結每個方位的人的養生關鍵。

▲東方

東方出生之人屬震卦，震卦初爻（也就是最下邊的一爻）是陽爻，代表陽氣初生，對應春分節氣，五行屬木。「故東方之域，天地之所始生也，魚鹽之地，海濱傍水，其民食魚而嗜鹹，皆安其處，美其食，魚者使人熱中，鹽者勝血，故其民皆黑色疏理，其病皆為癰瘍，其治宜砭石，故砭石者，亦從東方來。」東方是陽氣生發的地方，他們生活的地方又接近大海，所以喜歡吃魚及鹹的東西。水在色屬黑，因此東邊多接觸陽光跟海水的人膚色也就偏黑，他們的肌理疏鬆，熱毒特別容易侵入腠理，再加上鹽多血盛，海物又多有發散的功能，人就容易得癰瘍等病症。預防治療一般用砭石，砭石不但可以切開癰瘍，而且本身所含的礦物質跟微量元素對身體也有諸多好處。而在中醫各種治療方法中，砭石治療也恰恰來自東方。

說到養生，就要未病先防。既然腠理疏鬆，就可以用刮痧的辦法使身體的濕毒外排。現在不單單是東方，各個地區的人都用刮痧排毒袪熱、疏經通絡，它防病治病的效果是很明顯的。

▲西方

西方出生之人屬兌卦，對應秋分節氣，五行屬金。西方是陽氣下降的地方，「金玉之域，沙石之處，天地之所收引也。其民陵居而多風，水土剛強，其民不衣而褐薦，其民華食而脂肥，故邪不能傷其形體，其病生於內，其治宜毒藥。故毒藥者亦從西方來。」西方的風沙大，是天地收斂引急的地方。人們多居住在山陵等多風、水質土質強硬的地方。吃的呢？都是肥甘肉食，所以體肥多油，這樣才能抵禦風邪的侵害。他們發病多在內，所以一般只能用藥物治療。像砭石這樣的器械在西方的作用就不大了。

▲北方

北方出生之人屬坎卦，對應的是冬至節氣，五行屬水。北方是陰氣最盛的地方，「天地所閉藏之域也。其地高陵居，風寒冰冽，其民樂野處而乳食，臟寒生滿病，其治宜灸焫。故灸焫者，亦從北方來。」北方是天地閉藏的地區，常處在風寒冰凍之中。多吃牛羊乳，寒氣內入，易生脹滿之症，治療的話宜用艾灸。

艾灸不但可以治病，還可以強身，可以說是北方人最適用的醫療保健法。多灸足三里及胃經小腿走形的部位，既能強健脾胃功能，又能提高人整體的抗病能力。身體虛弱、上了年紀的人都應該試一試，其效甚佳。

▲南方

南方出生之人屬離卦，對應的是夏至節氣，五行屬火。南方是陽氣最盛的地方，「天地所長養，陽之所盛處也。其地下，水土弱，霧露之所聚也。其民嗜酸而食胕，故其民皆致理而赤色，其病攣痹，其治宜微針。故九針者，亦從南方來。」南方是天地萬物長養的地區，也是陽氣最盛的地方。它的土地沒有北方那麼豐厚，而霧露多積。人們喜歡吃酸的和發酵腐熟的食物，腠理細密而帶紅色。容易發生筋脈拘急、關節方面的痹症。治療上宜用九針。

▲中部

在九宮八風圖中，「中」是比較獨特的，它沒有八卦的配屬，只是五行屬土。「中央者，其地平以濕，天地所以生萬物也眾。其民食雜而不勞，故其病多痿厥寒熱。其治宜導引按蹻，故導引按蹻者，亦從中央出也。」中原地區地勢平坦而潮濕。人們吃的食物繁雜，自然條件又沒有周邊惡劣，所生的疾病多是痿弱、厥逆、寒熱等，治療宜用導引按摩的方法。

其他地方也是如此。比如西北方，在八卦屬乾，乾為首，西北地區的人患頭痛的比其他地區的人都多，東南沿海及東北、華南地區就為低發生區。其實從現代科學的角度也是講得通的。像東邊的人住在海邊，吃魚就比較多，海洋生物裡有很多可以活血抗凝的物質。而西北地方的人吃肥甘厚味的較多，容易造成血流不暢，血管拘阻，頭痛也就不稀奇了。

再比如東南沿海一帶，東南是巽，正如乾坤、離坎、艮兌的關係一樣，震巽也是一對陰陽。巽為陰，震為陽。況且巽五行屬木，它是生發條達的方位，不像南方那樣屬火、純熱。因此東南方的人體質一半是「虛亢」質，也就是陰不足，不能制約陽，才使陽性體徵顯現出來。他們可能會覺得心裡煩熱，很多人喜飲冷水，脈比較細數。如果用南方人慣常用的飲食養生法，就容易損傷他們的脾胃。所以東南沿海有虛亢體質的人最好慎食辛溫食物，如狗肉、羊肉、桂圓等，而以食果菜加以調養。

東北人跟東南人又有不同。北靠練，南靠補。北方很多人都喜歡游冬泳，在冰面上鑿洞作池，零下二、三十度也一樣游得不亦樂乎。還有很多人是清晨頂霜冒雪去晨練的，中午稍微暖些，又有很多老人三三兩兩聚在陽光下曬太陽。而南方、東南方的人，在夏季則特別注意進補。台灣就有「入夏補孝父」的說法，就是在立夏的時候為老人進補。江浙一帶也有入夏「吃補食」的習俗，當然這種補都是涼補。這是為什麼呢？這其實完全符合《易經》陰陽平衡的理論。

自然造物，凡陽者必配以陰，凡陰者必配以陽，否則不成生命。張景嶽也說陰陽互根，水火同源。所以北方、東北方的人，在寒涼之地，反而身強體大；南方、東南方的人相對瘦小。北方人性格是豪放直爽，南方人更多溫婉綿柔。而所謂的陽中求陰、陰中求陽的道理也是如此。

健康也需要入鄉隨俗

「五里不同風，十里不同俗。」

入鄉理應隨俗，當一個人要改變居住環境的時候，需要適應當地的生活。

而且，現在的生活條件也使我們改變養生環境成為一種可能。我的老父親就是一個很好的例子。我老家在徽州，也就是安徽的黃山市，一旦到了冬天，我的父親就來北京過冬，這是因為南方沒有暖氣，那種陰寒的氣候讓人感覺比較冷，而到了北京，有了暖氣，再加上這邊相對乾燥，人的感覺就會舒服很多。

北方人到南方，同樣因為受到環境、氣候的影響，比如說在海邊的，東邊靠近大海的，會受到濕氣的影響而容易患上當地常見的疾病。可見這也是與環境變化有關係，就像我們前面說過的，「橘生淮南則為橘，生於淮北則為枳」。因此從養生來說，出生的地點對體質有影響，而改變生活環境也會影響我們的健康。比如北邊坎卦之人，到了南方應該適應南方的飲食。

但是，因為先天的體質決定了自己的體質特點，我們就不能盲目地學習別人的養生方法。南方人好喝涼茶，有些北方人到了那裡怕中暑，也成天涼茶不離口，尤其是吃辛辣熱食時，用它來去火氣。但是北方坎卦的人是寒涼的體質，一般多半不是火盛，而是陰虛，顯得有些浮熱。如果不辨明體質，盲目地入鄉隨俗，就容易得胃腸道的疾病。

這裡再次強調，中國的傳統思維是整體思維，有了出生的時間和空間，是不是就能確定一個人的體質了呢？這顯然還是不夠的。

人，養生的關鍵在於認識自己

林黛玉是兌卦之人的絕好例子。很多人覺得很詫異，都說林黛玉是水啊，她那麼愛哭，應該是坎卦。我們先看看林黛玉的身體特徵——瘦弱、纖秀。她好生氣，有些小心眼，薛姨媽送宮花給諸人戴，因為最後一個給她，她很是不高興，從中不但可以看出她好比較、小心眼的性格，也可看出她極強的自尊心。金主肅殺，給人一派蕭條、冷漠之感。林黛玉則生性喜散不喜聚，她曾說：「人有聚就有散，聚時歡喜，到散時豈不冷清？既清冷則生傷感，所以不如倒是不聚的好。比如那花開時令人愛慕，謝時則增惆悵，所以倒是不開的好。」這樣一個聰明、靈秀，卻又計較、冷漠之人，為兌卦作了最好的詮釋。

既然林黛玉屬兌卦，那她的身體條件又怎樣呢？兌在五行是金，金在「呼、笑、歌、哭、呻」五聲中主「哭」，在情志中主「悲」，五臟主「肺」，變動主「咳」。這樣一來，就很容易看出她的體質特點了。金燥傷肺，所以黛玉肺癆久咳，到後來就肺絡破損，時常咯血。

只要我們能判定自己屬於哪一種卦象之人，就可以進行相應的養生調整，對容易受到損害的臟器多加關注。如果林黛玉不是多悲多哭多疑多忌，也就不會對手太陰肺經造成那麼大的傷害，輕殞了性命。

從上面的分析來看，人的因素包括了人的體質和人的性格，「從體質上來判斷八卦」和「從性格上來判斷八卦」需要分開，一個是體八卦，一個是用八卦。

我們在分陰金陽金、陰木陽木、陰土陽土時要注意，它們只是程度的不同，而不是性質不同。既有同一性，又有所區別。屬陰比較低沉、柔弱，屬陽則更積極向上，更剛強一些。

▲離卦人

離屬火，這個卦象的人頭小腳長，上尖下闊，濃眉小耳，精神閃爍，面色紅赤。火衰之人則黃瘦尖楞。

性子急躁，好爭理、喜誇張，具有鼓動性，煽動性極強，說話的時候有一種感染力。

離卦裡具有比較昂揚性格特徵的人會樂觀進取，上進奮發，勇敢無畏，有創見，高度外向。他們很果斷，極具說服力，大家都很喜歡跟這種人相處。離卦人像火一樣的熱氣騰騰，具有一種感染力，熱情奔放，積極樂觀，容易與別人融合。

但同時，離卦的人也容易有好虛榮、愛面子、貪得無厭、驕傲好鬥、好高騖遠等缺點。他們像火一樣，脾氣暴躁，比木的人更加外向一些。火行的人除了熱情向上、更加昂揚之外，火最容易動，不太穩重，風一吹火就在晃。有些火行的人缺點在於閃爍其詞，搖擺不定，一下一個主意，主意來得特別快，但是改變得也特別快，這是不足的地方。

此卦之人一般素體偏熱，心火比較亢盛，所以要注意控制自己的情緒，不能過喜過激，所謂的養心也是除了養身體之心，更要養心靈之心。

▲坎卦人

坎屬水，坎卦之人一般膚色黑，面多皺，頭大肩小，體形比較圓滿，腹部膨隆，水旺之人面黑有采。

水性潤下。所以坎卦之人性柔和，沉穩安定，滋潤祥和，溫柔婉約，肯低矮就下，城府較深。水又主智，其性聰，其情善，語言清和，心靈手巧，為人深思熟慮，足智多謀，學識過人，擅精藝術。

坎卦人的不足之處是易自卑，愛哭，懶散混亂，生悶氣，想得多做得少，消沉抑鬱，多憂多慮，一般會性情無常、膽小無略，做事情反反覆覆。同時，因為適應力太強了，所以好搬弄是非，見這個說這個，見那個說那個，有一點飄蕩。水行還有一個最大的不足之處，如果女人屬水的話，水性楊花，就是屬於動盪，這是說它的不足之處，當然女人屬水是挺好的，因為水行就是柔弱，但是太過就不好了。當然，任何一行都有它的優缺點，當認識到缺點或不足時，就要注意把它修正過來，從而揚長避短。

坎卦主水。這樣的人一般體質寒涼，毛竅很容易被寒邪所傷，在冬天的時候，抑或陰冷多雨天，應多注意下肢的保暖。夏季天熱的時候也不能大量進食寒涼之物，否則很容易使寒氣上行，鬱遏在頭部，把陽氣困在頭內，造成頭痛等症。

坎卦之人如果體質過於寒涼，最簡單的養生辦法是什麼呢？根據坎離水火互藏之理，我們得到離卦中去找解決的辦法。附子、肉桂最能補坎中真陽。附子、桂圓都盛產於南方，那裡陽光充足，陽氣旺盛，最能補北方坎之不足。像這樣的藥品，都是通過益陽達到治陰的目的，又都能入心、腎兩經，所以效果獨到。

▲乾卦人

乾屬陽金。

陽金的人不會變通，往往一條道走到黑，十頭牛都難拉回來，情商的指數就不會太高。金行人的性格是果斷的、強勢的、雷厲風行的，韌性非常強，一旦下定了決心很難改變。他的缺點就在於不太容易變通。如何把握這個度，把握得合適就是優點，把握不合適太偏了就是缺點，但基本上它的總體特徵是不變的，就像秋天一樣的肅殺之氣，給人一種寒冷的感覺，一看就是不怒而威，雖然沒有發怒但是很威嚴。這種人非常聰明，因為我們從八卦裡可知道乾卦和兌卦都屬金，考慮問題特別深入，但是把握不好就是鑽牛角尖，不太靈活了，果斷過一點就是剛愎自用了。陽金性人仗義疏財廣結善緣，具有遠見。

▲兌卦人

兌屬陰金。

陰金之人則比陽金的多些變通，但也多些冷漠肅殺之氣。頭腦聰明，生性愛計較，好比較，嫉妒，刻薄尖酸，逞強好勝，小氣。陰金的人知廉恥，懂善惡，有極強的自尊心，他較陽金之人更為細膩。

屬金的人膚色較白，面方，頭小，肩背、腹、手足都小，足跟堅實，足骨突出。金盛之人骨肉相稱，面方白淨，眉高眼深，體健神清。不及則身材瘦小。

乾、兌所對應的臟腑分別為小腸和肺。金又多為肅殺之氣，比較燥，容易傷及肺臟。他們更能耐受秋冬的寒冷，西北地方這種類型的人比較多，形寒遲冷體質的人較東南地區高出很多。

同時像青海、西藏這樣的地方，偏痰濕體質的人也很多，這主要與他們的地理方位與飲食關係密切。所以在飲食上不要太過肥甘，應適當地吃些清淡的蔬菜。

▲震卦人

震屬陽木。

震卦的人脾氣很大，像打雷一樣，所以好抗上、不服人、會頂撞他人、寧折不屈。同時也是一個浪漫的人，比較豪放。比巽卦之人勇於進取。陽木性人，仁德、正直、有主意、能忍辱、有擔當力。

▲巽卦人

巽屬陰木。

巽卦和震卦一致，但程度上弱一些，稍有一點猶豫不決、拖泥帶水，感覺事情不理想時易憂愁，善變不穩定。但整體還是積極向上的，只是比震卦人多些柔美。陰木人更多惻隱之心，慈祥愷悌，濟物利民，憐孤念寡，悲天憫人。

屬木的人面色青、小頭、長面孔、肩背寬大、直身、小手足。木盛的人長得風姿秀麗，骨骼修長，手足細膩，口尖髮美，面色青白。木衰之人則個子瘦長，頭髮稀少。木氣死絕之人則眉眼不正，項長喉結，肌肉乾燥。

震卦、巽卦的人，屬木，形態上就像木一樣，這樣就很好判斷。震卦、巽卦的人得病也是木行方面的疾病，比如說易患肝方面的疾病，所以養生就要養肝，尤其是在春天，就要特別注意。

他們居於東南方的比較多，能耐春夏，不能耐秋冬。他們身熱虛亢體質很突出，遠遠高出西北地方。

飲食上由於體質偏陽，進食就宜溫涼忌熱。其實東南地區的人，尤其南方人很喜歡喝涼茶，這種習慣的形成與他們的地域以及體質是息息相關的。

▲坤卦人

坤屬陰土。

陰土的人保守的程度更大，更加低沉、停滯。容易滿足於現狀。反應有些遲鈍，內向好靜。他們不喜歡趨炎附勢，也不喜歡弄權玩勢，不容易跟別人交際，開拓性也不強。

但他們心地溫和，性格宛然，待人誠懇，只要不是特別褊狹，都是可信賴的朋友。

▲艮卦人

艮屬陽土。

陽土性人，信實，寬宏大量，合作互助，穩健和諧，具有責任感，比較寬容一些，比較大度、穩健，言必行、行必果，講誠信。但相較於非土型的其他六卦，則比較保守，更加執著，更加木訥，不善變通。

屬土的人膚色偏黃，圓臉，頭大，肩背豐滿而健美，腹部大，下肢從大腿到足踝都很健壯，手足小，肌肉豐厚，全身上下看著都很勻稱協調。土盛之人圓腰闊鼻，眉清目秀，口才聲重。不及人面色憂滯，面扁鼻低。

坤、艮所屬臟腑分別為脾和大腸。土型人形盛體實，容易內生鬱火，蘊積濕熱。土本來是種植莊稼，生長萬物的載體，對於人來講，此卦人得土生化、承載、受納之功，所以長得比較壯實。

這兩卦的人如果生病，則夏季是個恢復的好季節，即使夏季症狀減輕，也應該利用這個時機好好養生。

天、地、人綜合考慮，準確判斷自我屬性

如何準確判斷自我屬性

在我們判斷出自己天、地、人分別是什麼卦象後，就可以綜合地來判斷自己的所屬了。在這三個卦象中，時跟地是不能改變的，可以說與生俱來。我們可以參考這兩個要素的八卦所屬，避免易患的疾病。

而加上人的要素以後，應該以哪個為主呢？又有什麼方法可以準確判斷呢？

首先列舉幾種可能性：

一種是天、地、人三種卦是一致的，這樣的話判斷就沒有問題，但這種情況非常少見。

另一種情況是二比一，基本上以相同的兩個卦為主，但對於養生來說，重點還

要看人的因素，也就是看性格和體質的卦象如何，其他的兩個卦用於參考。

不可能有兩個完全相同的人，而卦只有八個，所以必須細心體味自身的特徵，才能不拘泥於理論，也才能科學地、靈活地把易學知識運用於養生。只有自己最了解自己的身體，所以，養生歸根究柢，是只有自己才能做得最好的事情。

病由《易》定的曾國藩

清末民間有種說法，叫「西山十戾」，是附會整個清王朝的十個重要人物：多爾袞（熊）、洪承疇（獾）、吳三桂（鴞）、和珅（狼）、海蘭察（驢）、年羹堯（豬）、曾國藩（蟒）、張之洞（猴）、西太后（狐）、袁世凱（癩蛤蟆）。

這些多數是以每個人相貌相近於某一種動物，而冠以外號。其中的曾國藩為什麼是蟒蛇呢？這還有一段公案。曾國藩是個多頑疾之人，一輩子得了很多不會要命、但痛苦不堪的病症，最出名的就是「癬疾」。他每天早上起床時，床上都會有一層蛻掉的白色皮屑，好像蛇蛻皮一樣。而且皮膚也是鱗狀，活像一條大蟒蛇。這裡面當然有人們的附會，而用我們現代人的眼光看，就是皮膚病。

曾國藩曾在五十歲左右時娶過一個小妾，這個小妾是來幹什麼的呢？就是幫他洗洗澡、搓搓背，寢枕間撓撓癢的。他自己的日記也經常記載今天癢得重不重、疼不疼，三更睡還是徹夜不寐。看來他被這種病折磨得不輕。

曾國藩的生辰在史料中有明確的記載。辛未年，己亥月，丙辰日，己亥時。也就是農曆的辛未年（一八一一年）十月十一日亥時。一八一一年是羊年，取數8。

根據天卦的演算法：8＋10＋11＋12＝41，41除以8，餘1，屬乾卦。

他生於湖南，在地卦為離卦。

再看他的身容、體質、性格。《清史稿．曾國藩傳》載：「國藩為人威重，美鬚髯，目三角有棱。每對客，注視移時不語，見者悚然，退則記其優劣，無或爽者。」可見，他是個不怒而威、心思很重的人。他對清朝可謂忠，對朋友可謂信，艱苦的創業歷程鑄造了楚人倔強、執著的地方性格。近世湖湘士人的秉性使他擁有了勇於任事、敢於犧牲的堅韌性格。

有個故事，是對他這種個性很好的說明。曾國藩在圍剿太平軍時，戰役失敗，他就回頭集結自己的部隊，重新組建、操練。吃敗仗時他也曾三次要投水自殺，都被人救起。他給皇帝的奏疏上說自己「屢戰屢敗」，又在其後加了個「屢敗屢戰」，後世很多人覺得這是在玩文字遊戲，掩飾自己的敗績，其實這才是他最貼切的寫照，是他堅韌性格在生活中的反映。

但同時他又謹小慎微，有時也說人短話，搬弄是非。根據他的體質跟性格，可以很容易判斷出，他的人卦也是乾卦。

《易經》中的乾卦象徵首，象徵天，五行屬金。曾國藩的天卦就是乾卦，這也使他事業有成，功拜侯爵，成為天下第一名臣。但同時金燥熱炎的天時，也使他的身體與生俱來一些特性。如果他生在西北地還好，可偏偏又生在南方，再加上自身的體質、個性，真是不得這個病都不行。再者，火剋金，這也是個很大的問題。若是生在土性的地方，對乾卦的人來講就益處很多了。

曾國藩是湖南人，地卦是離。離主火，在肢體屬目，季節主夏。火為陽性中最烈的一種元素，如果再有濕邪或風邪，就很容易使血化熱，皮膚遇燥則乾，有癬疾也就實屬正常了。

他又有眼疾，土方、偏方都用過，但收效甚微，最後總結出了一套自己的養生方法：「息必歸海，視必垂簾，食必淡節，眠必虛恬。」即氣息要進入體內深處再呼出；長時間地看書、觀景物，必須不忘經常眨眼，讓眼皮垂下，閉目養神；飲食要清淡，食量要節制，不要過快、過飽；睡眠時，要將一切煩惱事丟之腦後，安安穩穩地睡覺。而這種靜息平和的養生之法正是陽土的特質。

我們還可以再深入地解析一下。如果曾國藩生在東南又會怎樣呢？東南是巽，屬風。而且東南方人的腠理比較疏鬆，容易被外邪侵入體表。所以南、東南都不是適合乾卦人的地方。曾國藩後來帶領湘軍在東南沿海作戰，雖然戰績可圈可點，但對他的身體可是一點好處都沒有的。

從古人的切身實例中我們可以看出，《易》之為醫是很有根據可循的，這位曾文正公身上的諸多頑疾，跟他的天、地、人卦如出一轍。

天地人三卦的互補養生

天、地、人三卦可能是相同的，但更大一部分是不同的，這種不確定性也正是《易經》八卦的魅力與科學性所在。我們用易學、用八卦五行，來觀察自己的健康、養護自己身體的時候，要多思考，總能從中發現自己不同於他人的獨特之處。

比如一個人出生的時間屬震，而自己的體質跟性格又是離卦，那就是木生火，耗散會比較多。人卦本是炎上、躁動之象，容易陰虛火旺，得一些心臟方面的疾病，再加上時卦為木，在釜底又加了一把柴，這豈不是越燒越旺嗎？這類人一定要注意心理的調適，靜能制動，而只有心靜下來才能使身體的運行隨之緩慢下來。再有，離卦人有病最好少食鹹，鹹屬坎，也就是水，剋離。總原則就是：避免剋我者，攝取生我者。

這與五行相生相剋的關係是一致的。判斷剋我和我剋、生我和我生的關係，或者是比肩，也就是不生不剋，就很容易看出天、地、人三卦的內在關係。

再比如，如果你是個兌卦之人，除了在環境、飲食方面注意外，還可以多結交一些艮卦的人。兌是什麼？兌是澤。艮是什麼？艮是山。《說卦傳》上說：「天地定位，山澤通氣，雷風相薄，水火不相射，八卦相錯。」所謂「山澤通氣」就是指山上的水，下而成澤；澤中之水，上蒸為雲，又可化雨而潤山。在《易經》中有「損」卦，就是上山下澤，告訴人減損之道。所以，兌卦的人如果能與艮卦人相交，就會彼此吸收互補的方面，減損不利的因素，從而達到陰陽的平和。

有的人說，那兌卦的人結交震卦的人不是更好嗎？震卦之人各方面都較艮卦更為繁盛，對兌卦人的影響力

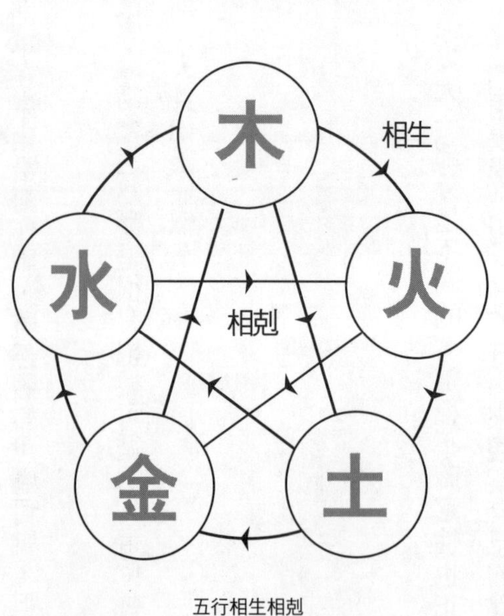

五行相生相剋

不是更大嗎？震與艮都是陽卦，且震之陽也確實更為旺盛，但是震為火，艮為土，兌為金。土生金，火剋金，震卦人雖也能矯正兌卦人性格方面的不足，但更多的是打擊，而不是潛移默化的溫性影響，所以還是不太適宜的。

我們的天卦是固定不變的，生於哪個時代，哪個時節，哪個時辰，也就秉承了當時的各種因素，所以它是我們生的根基。其次就是地卦，但地卦相對來說就要靈活得多，因為即使生在那裡，也可能不生活或少生活在那裡，所以雖會受其影響，卻可多可少。人卦則是我們可以通過自身的努力去改變的，意識到自己的不足，然後去修復，這才是我們學習八卦的根本目的。

化繁為簡，只分陰陽的養生大道

▲陰陽平和質

陰陽平和質是功能較協調的體質。具有這種體質的人，其身體強壯，胖瘦適度，或雖胖而不臃滯，雖瘦而有精神；其面色與膚色雖有五色之偏，但都明潤含蓄，目光有神，性格隨和、開朗，食量適中，二便調暢，對自身調節和對外適應能力強。

陰陽平和質者，不易感受外邪，少生疾病，即使患病，往往自癒或易於治癒；其精力充沛，工作潛力大，夜眠安穩，休息效率高。如後天調養得宜，無暴力外傷或慢性病患，則其體質不易改變，易獲長壽。

▲偏陽質

偏陽質是指具有偏於亢奮、偏熱、多動等特性的體質。偏陽質者，多見形體偏瘦，但較結實。其面色多略偏紅或微蒼黑，或呈油性皮膚；性格外向，喜動，易急躁，自制力較差；其食量較大，消化吸收功能健旺。

偏陽質者平時畏熱、喜冷，或體溫略偏高，動則易出汗，喜飲水；精力旺盛，動作敏捷，反應快，性欲旺盛。偏陽質的人對風、暑、熱邪的易感性較強，受邪發病後多表現為熱證、實證，並化燥、傷陰。皮膚易生癤瘡。內傷為病多見火旺、陽亢或兼陰虛之證，容易發生眩暈、頭痛、心悸、失眠以及出血等病症。此類體質的人陽氣偏亢，多動少靜，有耗陰之勢。兼之操勞過度，思慮不節，縱欲失精，則必將加速陰傷，而發展演化為臨床常見的陽亢、陰虛、痰火等病理性體質。

▲偏陰質

偏陰質是指具有偏陽不足、偏寒、多靜等特性的體質。具有這種體質的人，多見形體偏胖，但較弱，容易疲勞；面色偏白而欠華；性格內向，喜靜少動，或膽小易驚；食量較小，消化吸收功能一般；平時畏寒、喜熱，或體溫偏低。精力偏弱，動作遲緩，反應較慢。

偏陰質者對寒、濕之邪的易感性較強，受邪後多從寒化，表證不發熱或發熱不高，並易傳裡或直中內臟。冬天易生凍瘡。內傷雜病多見陰盛、陽虛之證。容易發生濕滯、水腫、痰飲、淤血等病症，具有這種體質的人，陽氣偏弱，易致陽氣不足，臟腑機能偏弱，水濕內生，從而形成臨床常見的陽虛、痰濕、痰飲等病理性體質。

第二章

《易經》八卦的階段養生

《易經》揭示了宇宙大規律，這種規律破解了《黃帝內經》中的一些難點，比如「女七男八」等問題。《易經》、《黃帝內經》二者相互融合，揭示人生不同階段的身體特點，指導我們有的放矢地養生，提高自身的自癒力。

從長女配少男的悲劇電影《落山風》中看八卦配屬

台灣著名小說家汪笨湖的《落山風》被拍成過不同版本的電影，事隔二十年還是不時地有人提起。如果是懂《易經》的人，光看名字大概就能看出個梗概。《落山風》其實就是《易經》裡的一卦。山為艮（☶），風為巽（☴），風落山下，構成蠱卦（䷑）。蠱有蠱惑的意思。為什麼山下有風就是蠱呢？因為，風在山下而不是在山上刮，被山擋住了，那麼久而久之就不舒暢，就一定被蠱壞了。艮在家庭中為少男，巽為長女。年紀小的男人被年紀大的女人所迷惑，然後顛三倒四，被蠱惑了，這個男人就萎靡不振，出現了蠱的情況。

《左傳》中有一個「醫和視疾」的故事，非常有名。晉侯有疾，秦伯派神醫醫和去診治，醫和診斷後對晉侯說：「您這病是因為女色啊，是蠱病。一不是鬼怪作祟，二不是傷於飲食，而是被女色所迷惑。」晉侯問：「難道女色不能親近？」醫和回答說：「當然可以親近啦，但是要有節制。」後來趙孟問醫和什麼是蠱，醫和說：「淫溺惑亂就會生蠱，在《易經》裡，女子迷惑男人，風落山下，這就叫做蠱。」像這種蠱病用藥是治不了根的，只能靠改變生活的方式。

那現在我們是不是對《落山風》的內容能猜到個大概了呢？它講的是一個少男與熟女的愛情悲劇。一個正值青春期，本就充滿了迷惘的男孩，被祖母送到山上的尼姑庵溫書，準備考大學，同時庵裡還住著一位因被指不生育而被婆家嫌棄，無奈之下想出家的女子。男孩為女子的溫情與自身的情慾所惑，偷食禁果。當女子經過痛苦掙扎想結束這段感情的時候，男孩的迷惘達到了極致，覺得整個人生都無趣了，怎麼辦呢？最後他選擇了結束生命。

我們並不是說女大男小就是愛情悲劇，現代社會中，年齡的差別已經不是愛情的阻力了。只是從這個卦中，我們可以看出男女與所配數字之間很微妙的關係。

巽為長女，後天八卦裡配數字四；艮為少男，後天八卦配數字八；兌為少女，後天八卦配數字七。

由此可見，七和八在《周易》裡即為男女初始的參數。我們在「就易談醫」時也就不可避免地以七、八為基數，來透視人的整個生命過程。

後天八卦男女配卦

卦名	乾	坤	震	巽	坎	離	艮	兌
卦序	父	母	長男	長女	中男	中女	少男	少女
後天卦數	六	二	三	四	一	九	八	七

女七男八的奧祕，階段養生的關鍵

大家都聽說過「七七八八」吧？這是什麼意思呢？這跟易數有關。《黃帝內經》對它有詳細說明。

女子七歲腎氣盛，齒更髮長；二七而天癸至，任脈通，太沖脈盛，月事以時下，故有子；三七腎氣平均，故真牙生而長極；四七筋骨堅，髮長極，身體盛壯；五七陽明脈衰，面始焦，髮始墮；六七三陽脈衰於上，面皆焦，髮始白；七七任脈虛，太沖脈衰少，天癸竭，地道不通，故形壞而無子也。丈夫八歲腎氣實，髮長齒更；二八腎氣盛，天癸至，精氣溢瀉，陰陽和，故能有子；三八腎氣平均，筋骨勁強，故真牙生而長極；四八筋骨隆盛，肌肉滿壯；五八腎氣衰，髮墮齒槁；六八陽氣衰竭於上，面焦，髮鬢頒白；七八肝氣衰，筋不能動，天癸竭，精少，腎臟衰，形體皆極；八八則齒髮去。腎者主水，受五臟六腑之精而藏之，故五臟盛，乃能瀉；今五臟皆衰，筋骨解墮，天癸盡矣，故髮鬢白，身體重，行步不正，而無子耳。

——《素問・上古天真論》

現在很多人都知道「天癸」這個詞。「天癸」的「天」意思是先天的、天然的，也是第一位的。「癸」字，在甲骨文當中寫作「※」，像四面八方的水聚集在中央的形狀。「癸」在天干當中是最後一個，和第九的「壬」都是屬水的，意思是呈現水的形狀。

中國古聖說「天一生水」，「一曰水」。水是第一位的，是生命之源。古希臘的第一個哲學命題也是「水為萬物的本原」。

《黃帝內經》認為人體五臟中腎為水，腎為先天之本，是生命的基礎。「天癸」就是先天腎精當中產生的，是腎氣充足到一定程度的產物，是具有生殖能力的一種物質。這種物質像水一樣，像四面八方的水聚集在中央，表示水的充盈，精氣的旺盛。有了「天癸」這種物質，就可以使人生孩子。所以「天癸」是主導人生殖的一種物質，沒有天癸，人就不能生孩子。

少女兌卦：女子「七歲」一週期

先說女子，女子是以「七歲」為一週期的。

「一七」，七歲時，腎氣就開始旺盛，牙齒開始換了，頭髮開始生長。

「二七」，十四歲時，因為有了「天癸」，所以這個時候能生孩子。天癸一般是在十四歲的時候出現，好多人就想到是不是月經就是天癸？當然不是。月經只是「天癸至」的一種表現形式，它本身不是天癸。天癸是一種主宰生殖能力的物質，而月經是排泄掉的廢血。《黃帝內經》中提到的「月事以時下」中的「月事」就是月經，月經按時而下。此時「任脈通」，任脈是人體正中、正前方的一條經脈，後背正中的叫督脈。這個「任」字，可以通「女」字旁的「妊」字，表明它有主宰懷孕的功能。「太沖脈盛」中提到的太沖脈，就是奇經八脈裡面的一條叫沖脈的經脈，這條脈很重要，它是十二經脈之海。沖脈是從少腹內起於腎下，出於氣街，進入胞中，女子的子宮，男子的精室；從那裡出來，沿著大腿內側的根部，然後往上行，到上面和腎脈合在一起，往上走；經過肚臍兩旁，上到胸部就發散開來，散開以後還繼續往上行，可以繞到嘴唇。這其中，氣往上行到胸部的時候，女子的第二性徵就凸顯出來，乳房隆起；氣繼續往上行繞嘴唇一周，男子的鬍子就開始長出來。所以男女性徵都跟太沖脈的盛衰有關係。太沖脈與腎氣有一段相連，所以也主管人的生殖。女子一般是十四歲的時候，太沖脈旺盛，就能生孩子，所以「二七」這個階段很重要。

「三七」，二十一歲時，腎氣就開始平衡了，平穩了。因此「真牙生而長極」，這個「真牙」就是俗稱的智齒，智齒就會生出來，表明已長到了極點，也就是到二十一歲的時候，女子快要長到頭了。

「四七」，二十八歲時，女子的筋骨堅強了。《黃帝內經》說，肝主筋，腎主骨，所以意思是肝氣和腎氣達到強盛。還表現為頭髮長到極點，身體也最強壯。

「五七」，三十五歲時，「陽明脈衰」，足陽明是胃經，手陽明是大腸經，這兩條經脈循行於手和腳的外側，彙聚於頭面部，這裡是指胃和大腸的精氣開始衰竭了，面容開始憔悴了，頭髮開始掉落了。這又提到頭髮。頭髮是什麼呢？頭髮叫「血之餘」，頭髮的盛衰是血氣盛衰的表現。頭髮跟腎臟有關係，頭髮掉落，表示腎氣開始衰落。

「六七」，四十二歲時，終於頭部的三陽脈（包括手三陽和足三陽）都開始衰落，面色枯槁，頭髮白了。

「七七」，四十九歲時，任脈開始虛弱了，太沖脈也衰微了。這個時候有一點很重要，就是不能生孩子了。為什麼呢？因為「天癸」沒有了，「天癸」是主宰生殖的，沒有「天癸」就不能懷孕，不能生孩子。所以，四十九歲在女子來說就是絕經期、更年期，就開始衰老了。

少男艮卦：男子「八歲」一週期

《上古天真論》中說男子是以八歲為週期的。

「一八」，男子到八歲的時候，腎氣開始充實，「髮長齒更」。頭髮茂盛，牙齒更換。

「二八」，十六歲時，男子的「天癸」，也就是主宰男子生殖能力的基本物質開始出現，陰陽調和，男女和合，就能生孩子了。

「三八」，二十四歲時，男子腎氣平和、均衡，具體表現是智齒開始長出來了，身高也達到極限。

「四八」，三十二歲時，筋骨強盛，也就是肝腎功能強盛。同時，肌肉也健壯了，生命力達到極點，所以接下來就要衰落了。

「五八」，四十歲時，腎氣開始衰落了，具體的表現就是頭髮脫落。

「六八」，四十八歲時，頭面部的三陽經氣衰微，臉色枯焦，頭髮變得花白。有一句老話：「花不花，四十八。」意思就是人到四十八歲的時候眼睛變成「老花眼」，如果這時候還沒有「老花眼」，那麼以後一般也就不會再有了。

「七八」，五十六歲時，肝氣衰微，筋脈遲緩，行動不便，天癸開始衰竭。主管生殖的精氣不充足，腎臟功能減退，形體各部分都出現衰竭現象。對於男子來說，五十六歲是一個坎，因為這個時候主宰人生殖的天癸開始枯竭了。

「八八」，六十四歲時，牙齒、頭髮都脫落了。天癸就徹底盡了，也就沒有了生殖能力。

天癸絕了以後還能不能生孩子？有的男性年齡超過六十四歲還具有生育能力，這是什麼原因呢？雖然有子，再怎麼長，男子也不會超過「八八」，女子不會超過「七七」，因為這個時候天地的精氣都絕了，也就是男女的天癸都絕了。從這裡可以看出，女子四十九歲是不變的，男子則變了，可以從五十六歲後延到六十四歲，往後順延了一個階段。

如果這個人養生得法、養生有道，雖然超過六十四歲，形態衰落，但精、氣、神還在，天癸還沒有絕，照樣可以有生殖能力。

以「七歲」、「八歲」為一週期，是腎氣的盛衰、天癸來決定的。可能有的人會說，這可能不對吧？我怎麼不是十四歲來月經的？我怎麼不是十六歲開始遺精的？的確，女性來月經的時間不完全都是十四歲，男性開始遺精的時間也不一定都是十六歲，但是基本上是在這一階段，相差無幾。可見，這種生命週期和人體本身正常的生理週期相吻合外，還和宇宙自然大規律有關係。

《黃帝內經》是以生殖能力的角度，也就是以天癸的角度來講述人的生命週期，所以女到五十六歲，男到六十四歲，對於以後的人生階段就沒有記述了。作為養生，我們更關注的是人從生到死整個的節序，所以時間就會更長。

十二辟卦配天癸

聖人因陰陽起消息，立乾坤以統天地。

——《易緯·乾鑿度》

《易經》中有十二個卦，用於表明自然界陰陽消長的資訊，稱為「十二消息卦」，「消息」也就是消長。這十二卦也叫做「十二辟卦」。有個詞叫「復辟」，就是恢復帝制，「辟」就是君主，就是帝王。可見這十二個卦是多麼重要，它是六十四卦的君主卦。

所謂「消息」是針對陽氣說的，消指陽爻消退，陰爻生長；息指陽爻生長，陰爻消退。比如十二消息卦中的第一個卦——復卦（䷗），最下面是一個陽爻，就是陽氣開始上升，陰氣開始褪去，所以是息。當然陰陽的消長是相對的，陽消必定陰息，陽息必定陰消。這就是一般人都知道的陰盛則陽衰、陽盛則陰衰的道理。

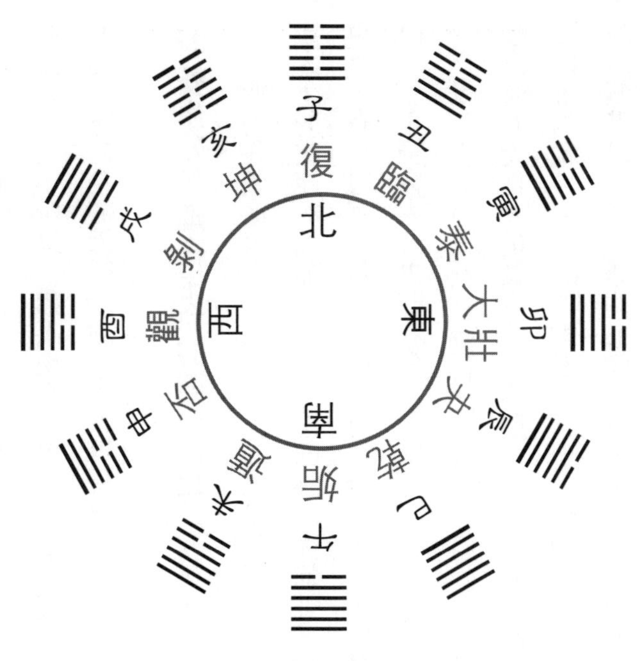

十二消息卦圖

十二消息卦人生週期表

	復	臨	泰	大壯	夬	乾	姤	遁	否	觀	剝	坤
男	0~8	9~16	17~24	25~32	33~40	41~48	49~56	57~64	65~72	73~80	81~88	89~96
女	0~7	8~14	15~21	22~28	29~35	36~42	43~49	50~56	57~63	64~70	71~77	78~84

中醫中獨特的醫療觀和醫療方式，就是從人與天地相應的整體觀來考察人的生命現象的，雖然天癸在女子「七七」、男子「八八」時已經盡了，但人的生命過程並沒有結束。所以，如果用表明萬物由生到滅、由滅復生的十二消息卦來解讀「女七男八」的生命節律的話，會更為精準，更為科學。

養生就是延緩生命的變化過程

無論我們從天癸、八卦、十二消息卦還是六十四卦來劃分，其實都是把它們看成人生的次序。比如文王的六十四卦，從乾卦、坤卦開始，乾坤象徵父母；往後有屯卦，有父母了，新的生命就可以誕生了；後又是蒙卦，代表人的蒙昧階段。依此而下，正符合人一生的規律。

養生究竟要達到什麼目的？健康、延年。其實用《易》的眼光來看，就是延緩生命的變化，延長生命的週期。試想，人處於上升階段，最終達到巔峰的大壯卦時期，也就是男子的二十五至三十二歲，女子的二十二至二十八歲。如果我們能延長這個階段，使身體的機能在這個時期後還能不斷攀升，那以後衰老的過程也就相應地延後了，這不就達到我們的目的了嗎？如果在姤卦時期，調整好自己的心理狀態，及時調整生活習慣，就會在未來的幾十年，擁有一份不僅健康而且快樂的老年生活。

下面我就將分別敘述各個人生階段的特點、規律，以及養生的方法。

一陽來復：一生盛衰在幼時

現在的觀念是老年人才養生，其實這是亡羊補牢的做法。人的身體稟賦從出生，或者更確切地說是從受精成胎時就決定了的。所以，養生就要從幼兒開始，甚至從父母開始。現在很多孩子都是爺爺奶奶等在照顧，我們成年人在養護自己的同時，也要關注家裡的孩子，讓他們有一個好的開始，給家裡人、給孩子一個好身體，這不是比給他什麼都強嗎？

人跟鹿、馬等動物有很大差別。鹿、馬這些動物生下來就能站，不用幾個小時就會走，皮毛也都比較豐盛，牠們在胎裡已經發育得很完全了。但是人不一樣，生下來時目不能視，口不能言，股不能立，足不能行，臟腑也非常柔弱，完全依賴別人的照顧才能存活。

這正符合復卦的特徵。有一個成語叫「一陽來復」，它下面是震卦，震在季節主春，是陽氣開始復甦、生命剛剛開始的徵象。復卦的第一爻是陽爻，而其他五爻都是陰爻，說明這時期陽氣還極為虛弱，因此養生時要斂住這點陽氣，使之不外泄。

那怎麼斂住這麼一點點寶貴的陽氣呢？我們先要弄明白這點兒陽氣在哪兒。幼兒的身體有兩個地方是需要特別保護的，一個是腹，一個是背。小孩兒的背要有衣物保護，但是又不能過暖，而且得經常見風。等到大一點了，肌肉長得比較結實，皮膚也比較緻密了，就不能總在屋子裡待著，要出去曬曬太陽，不然筋骨就會脆弱，不強壯。三歲以下，肚子不要貼地。很多小孩喜歡在地上爬，有些家長也不管，其實這是很不好的。小兒的很多病都跟脾胃有關，肚腹貼地很容易傷到脾胃之氣。

明朝的大醫家張景岳在《景嶽全書》中有這樣的記載：「小兒氣血未充，而一生盛衰之基，全在幼時，此飲食之宜調，而藥餌尤當慎也。」就是說，小的時候是人以後一生健康的根基所在，但這個時候氣血還不充盈，身體的機能還不健全，這個時期，飲食的調節是最為關鍵的，而使用藥物的時候要特別的謹慎。其實就是在告訴我們，最好在平時不要讓孩子生病，更不要像大人一樣，依賴病後的藥物治療。

吃什麼、怎麼吃，在小時候都是很講究的。小孩剛生下來沒有嘗過五味，所以有些人用黃連水先給小孩淨口，讓他們先苦後甜。不要過早給小孩吃味道過重的東西，一是如果吃到厚味了，那他就很難再接受沒有味道的東西了，對以後的餵養不利；二是如果小孩有偏嗜的話，就是特別喜歡吃一種味道的東西，那一定會得病。

張景嶽說他以前有個姓王的朋友，小時候特別喜歡吃甜的東西，家裡人很擔心。甜屬什麼？屬土，土剋水，甜食太過不但對牙齒不好，對腎也很不好。腎主骨生髓，甜食太過就會骨痛髮落，所以家裡人不想讓他吃得太多。有一天他又要吃糖，突然看見糖裡面一個蚯蚓的頭扭來扭去地正要伸出來，這小孩嚇了一跳，以後再也不敢吃了。等長大了後才知道，那是家裡面大人故意嚇唬他的，目的就是為了讓他少吃甜物。如果小孩子在飲食上有不好的習慣，做父母的、做爺爺奶奶的就可以找一些類似的辦法，巧妙地加以誘導，在小時候就養成好的健康習慣。

除了注意養護陽氣、調節飲食外，還要勤揉肚腹，多給小孩做做按摩，不但有利於身體骨骼的發育，更能避免很多疾病的發生。再有要注意的是，小孩子洗澡的時間不能過長，復卦那一點點純陽之氣很容易為水所傷，一旦受傷，又不像後天之陽容易補救，所以要慎之又慎。

氣血鼎盛：青年人的養生

有一句老話，叫「身後有餘忘縮手，眼前無路想回頭」。意思是說，人們風光時往往想不到以後的煩難，所以不給自己留下餘地；等身陷困境，想要回頭的時候，卻已經為時晚矣。

每個正值鼎盛之年的人都應該用這句話時常警醒自己，有這個年齡段孩子的家庭，父母也要提醒他們，因為這個時期看似光鮮，卻又危機重重。就像一塊肥沃的土地，雖然現在莊稼長勢旺盛，但如果不注意保養，用不了多久就可能變成一塊貧瘠的鹽鹼地了。

一個人身體機能的最佳時段是什麼時候？就是由泰卦開始，向大壯卦轉變的時期，一旦過了大壯，身體就開始走下坡路了。

有一個大家都知道的成語，叫「三羊開泰」，其實應該是「三陽開泰」，就是三根陽爻開出一個泰卦。泰卦（䷊）下面是三根陽爻，上面是三根陰爻。下為乾，上為坤，地在上，天在下。這裡的天指天氣、陽氣，地指地氣、陰氣，而不是天與地的實體。天之氣是上升的，地之氣是下降的。就像盤古開天地一樣，萬物始於混沌，盤古開天闢地，清氣上浮為天，濁氣下沉為地。這樣一上一下，時間沒有阻塞，溝通了，交流了，因此就通泰了。

與泰卦相反的一卦叫否卦（䷋）。有個成語叫「否極泰來」，說明否是個不好的卦，是一種阻塞的狀態。中醫上也有個病叫「痞」，是脾胃病中常見的病症。由於氣機阻滯，升降失常，胃裡的食物（也就是濁陰）不能下行到腸，脾的清陽之氣又不能上升導致的。得這種病的人會覺得胸腹脹滿，很不舒服。引起這種情況的原因有很多，治法也不盡相同，但對於心腎不交型的病證可以用「交泰丸」來治療。交泰，顧名思義，就是讓天地通了，讓該上去的能上去，該下來的能下來。所以，泰卦是一個好卦，或者說是一個吉卦，處在這個年齡段的人就身體素質來講，可謂「赫日自當中」。

而大壯卦（䷡）呢？光看這個卦名就知道了。它表示事物正在發展階段，告訴我們的是如何保住這種強盛的勢頭。在十二消息卦中，是陽氣上升的第四個階段。上面是震卦，也就是雷，下卦是天，雷聲動天，何其強盛。但「創業易，守成難」，大壯卦告訴我們，不要顯示實力，依仗這種強大就為所欲為，而要韜光養晦，這樣才能長久。

處在這樣一個風華正茂的年齡段，想要養生是最困難的，就好像讓一個不疼不癢的人吃湯藥。讓青年人養生，無論從心理上還是從實際情況來看，都是很難被接受的，這也就是青年難養生的一個原因。

青年人喜歡貪圖一時痛快，追求刺激，玩起來通宵達旦，毫無顧忌。同樣，事業也處在奮鬥期，工作起來也是加班加點，像一台不用休息的永動機。早飯不吃或啃麵包，午飯是速食，晚飯要嘛來袋速食麵，要嘛陪客戶大吃大喝。這就是現在很多年輕人的生存狀態，而那些古老的養生方法，他們中百分之九十五的人是做不來的。

其實青年養生同老年養生不同，他們有自己很明顯的特點，做起來也不見得很難。

青年養生的三戒與三慎

戒過，戒躁，戒逞強；慎穿，慎補，慎行房。

▲三戒之一：戒過

陰陽平衡是易的養生之道，青年人凡事大多有過之而無不及，做事很難把握節度。吸煙喝酒圖痛快，好比拼；工作、娛樂起來不分晝夜；要嘛坐在辦公室一動不動，要嘛到健身房鍛鍊得肌肉痠痛。這些都是「過」的表現。解決這個問題的方法很簡單：凡事都少那麼一點點即可。即使有十成的酒量，少喝幾口又何妨？即使能熬個通宵，早睡幾個小時豈不更舒服？在這個陽氣最充盈的時期，不加以培持，一旦到陽氣衰退的時候，就會迅急無比，想留都留不住了。

▲三戒之二：戒躁

要年輕人做到《黃帝內經》中所說的「恬淡虛無」、「精神內守」似乎太難了。但年輕人本來氣血充盈，如果躁動太多，就會陽亢於外、氣機逆亂。為什麼強調戒躁？因為現在我們本來就生活在一個浮躁的社會中，人們耐不住寂寞，也受不了誘惑，現在人的體質又是多陽少陰，所以容易引起陽偏盛的疾病。年輕時如果能心態平和一點，就是為後半生種了一塊大大的福田，不但不易被喜、怒、哀、樂這樣的情志所傷，更會有效控制住陽氣，也就找到了掌控健康的鑰匙。

▲三戒之三：戒逞強

為什麼把逞強作為青年人養生的一個面向來說呢？逞強本身好像並不會傷害健康啊！但我們回想一下以前自己做過的事，思考一下就知道了。比如酒桌上，你喝一杯……好，我喝一瓶；你喝一瓶……好，我喝一盆。我看過一些年輕人（男性居多）吃冰棒，比誰吃得多，連著能吃十幾二十根。工作的時候從不說自己不能做，再多再累也要硬著頭皮做完。有些女性還有不輸男性的心理，不光在工作上，在生活上也是，即使在生理期也水裡去、火裡來，不知道保養。這都是種下病根的原因，所以逞強是會在不知不覺中毀壞健康的一種因素。對於不怎麼在意自身，而更多在意別人看法、更要在工作上被認可的年輕人來說，這是一個很大的陷阱。一般我們在介紹健康知識、介紹養生的時候，往往將它忽略掉了，所以我要特別說明一下，這是健康的大忌。

▲三慎之一：慎穿

三月份，春寒料峭，在路上我看到很多只穿一層絲襪、膝蓋一點保護遮擋都沒有的女孩。膝蓋是很多塊骨頭銜接的地方，縫隙特別多，風寒之邪能輕易就竄入，一旦寒凝於內，氣血就不能交通了，到年老的時候就會痛苦不堪。

我們在講泰卦的時候說過上下相交、陰陽通氣，穿衣服的時候也是這樣。比如穿褲子不要太緊，尤其是年輕人，但無論男孩、女孩大多喜歡穿很緊的牛仔褲，內衣也很緊，包裹得很密實。

我們的皮膚是有毛孔的，那是用來通氣的，像下體的部位，本就容易潮濕，而且對溫度也很敏感，又懼怕摩擦，穿得那麼緊就會使濕熱之氣鬱滯在裡面，容易誘發很多疾病，嚴重的還會影響生育。

所以，穿著不能總跟著潮流，要本著先健康後美麗的原則。如果只美麗個十幾二十年，後面的三四十年都要痛苦地度過，還是應該好好權衡一下得失的。

▲三慎之二：慎補

我們先看看《紅樓夢》裡的人都是怎麼治病的。巧姐病的時候，太醫說：「只要清清淨淨的餓兩頓就好了。」晴雯得病的時候，又說：「此症雖重，幸虧她素昔是個使力不使心的，再者素昔飲食清淡饑飽無傷。這賈宅中的祕法，無論上下，只一略有些傷風咳嗽，總以淨餓為主，次則服藥。」我們再看《素問・生氣通天論篇》中是怎麼說的，「膏粱之變，足生大丁」。跟以前食不果腹的情況不同，現在的人多膏粱之體，也就是養尊處優，身無真病的人，一般是營養過剩的多，營養不足的少。所以補益時要格外注意，要選對，要適量。總的原則就是不虛不補。

年輕人如果飲食、作息正常的話，基本上不會特別缺失什麼。尤其這個時期，人體正是氣血津液充沛的時候，這樣的陽性之體不宜再為補藥補品煎烤。但如果熬夜多、蔬菜水果吃得少，還有一些對身體傷害性大的特殊行業等，可以適當地選擇一些符合自己特徵的東西進行補充。

養生不等於吃補品。從秦始皇以下，中國這麼多皇帝，都是山珍海味、人參鹿茸，但壽夭的遠較壽長的多。深山老林、粗茶淡飯的人哪有條件進補？可是日出而作、日落而息、三餐有時，一樣活過天年。

▲三慎之三：慎行房

所謂慎，一是要慎在衛生，二是要慎勞神過度。

泰、大壯時期是人體天癸最充盈的時候，所以一般都在這個時間段繁育後代。父精母血足，孩子的先天稟賦也就好，健康、聰明。也正是因為天癸的最大化，使得人在這個時期總是充滿了欲望，再加上保健預防的知識不足，身體常受到不能逆轉的損害。

房事的頻率以多長時間一次為宜呢？各人不同。只要腰腿不覺得痠軟，第二天不覺得太累，精神不萎靡，做事情時還是精神奕奕，也就沒什麼大礙。房事過的話會傷害腎精，無論男女都是如此。以前房勞也叫「腎勞」，腎藏精，如果這些精都耗泄了，人也就會過早地衰老。腎裡面的精可不是我們吃飯就能補回來的水穀精

如何養護腎精和血？

這裡教給大家一個有效的保健方法，還可以治療一些慢性疾病。方法簡單，我教很多人用過，效果大大出乎他們的意料。

在我們小腿內側有一個肝脾腎三條陰經交會的地方，足太陰脾經、足少陰腎經、足厥陰肝經交會在這個點上。脾統血，就像一個閘門，能夠控制血的正常運行，脾健康，血就不外泄；腎藏精，就是男女的先天之精，這個精可不是用之不竭的，腎不閉藏，這個精的閘門也就起不到作用了；肝藏血，就像一個儲藏血的容器，外面的血少了，它就多放出去一點，讓我們始終有充足的血可以使用。這麼重要的三條陰經就是在小腿內側踝骨上三寸、脛骨的後面交會的，這是一個重要的穴位，叫三陰交。它上面還有兩個穴，陰陵泉、血海。小腿內側，脛骨內側髁後下方凹陷處，即陰陵泉。屈膝，大腿內側，髕底內側端上二寸，股四頭肌內側頭隆起處，即血海。

跟腎精和血有關係的病症都可以通過這三個穴位來養護，雖然靠它們是不能治癒一切疑難雜症的，但用來養生保健，治療些慢性精血病，還是有效果的。比如痛經，除了經期，其他時間可以每天按半個小時。如果是身體寒、濕，還可以到藥房買幾支既便宜又好用的艾條，回家自己灸一下，只要堅持做，認真做，效果非同一般。其他如閉經、月經不調、赤白帶，都可以用這個方法調理。不但女性，對於男性同樣適用，腎不藏精的病症，比如遺精、早泄等，都是我們所說的那個閘門出現了問題，也可以用這三個穴來做保健。

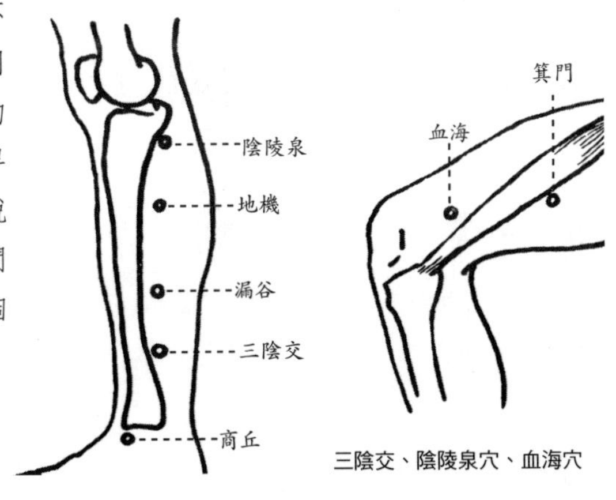

三陰交、陰陵泉穴、血海穴

微。天癸就像是母雞，好好地保護、餵養，我們每天都可以吃到雞蛋，可是如果先把母雞殺了，殺雞取卵，那就連神仙都沒辦法了。這可不單單是說男性，女性也如此。

當我們還年輕，或者不到天癸絕的時候就出現了這方面問題時，首先要反省自己，這寶貴的天癸不是地裡的莊稼，種了就有，它是我們的父母把我們帶到世上時附贈的最寶貴禮物，一旦過量使用，就再也追不回了。

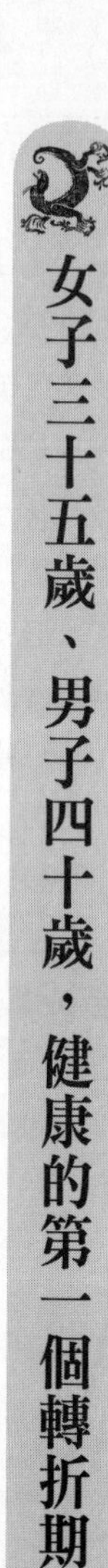

女子三十五歲、男子四十歲，健康的第一個轉折期

夬卦與乾卦，天癸盛衰記

女子三十五，男子四十，這是由夬卦向乾卦過渡的階段。夬卦給我們描述的是一場戰爭：現在王朝受到來自外方的威脅，是戰還是不戰？馬上就打，不一定會取得勝利，但也不能放棄，而要繼續前行。戰爭中有很多不利的因素，既要警惕又要小心。如果能決斷並且以德服人的話，那結果還是會很完滿的。

我們把這個卦放到人身上來看，是什麼意思呢？處在夬卦時期，是我們的身體受到挑戰的時期，馬上就要到由盛轉衰的乾卦，在這時我們要何去何從？第一，要堅定保持健康的信念；第二，即使現在情況不好也不要放棄，我們還有迴旋的餘地；第三，不能冒進，要遠離不利因素。

乾卦是至剛之卦，六爻全陽，已經達到了極點。物極必反，接下來的命運必然是由盛轉衰。我們要注意的是最上面的一個陽爻，這一爻說明了一個大道理，叫「亢龍有悔」。龍飛得極高，升騰得太快，最後有了悔恨。這說明了，剛健太過，不久以後就要衰落。當然有「悔」就有希望，悔是處於盛位時的最佳選擇。我們可以想想看，有幾個事業、年齡都處在鼎盛時期的人會「三省吾身」、心存悔意呢？

轉折期的養生法門

三十歲，五臟大定，肌肉堅固，血脈盛滿，故好步。四十歲，五臟六腑，十二經脈，皆大盛以平定，腠理始疏，榮華頹露，髮頗斑白，平盛不搖，故好坐。

——《靈樞經．天年篇》

這是說人到了三十歲，五臟已經大為安定，肌肉堅固，血脈充盛，所以愛好散步。到了四十歲，五臟六腑、十二經脈都盛大安定，腠理開始疏鬆，顏面的榮華逐漸衰落，鬢髮開始變白，精氣由平定盛滿已到了不能動搖的狀態，所以好坐。

中醫認為，女子三十五歲、男子四十歲以後，就會出現衰老的跡象，從養生的角度看，要注意保養身體。

從這個階段開始，男性與女性的差異也在逐漸擴大，直到遁卦後期，才又開始合流。所以男女的養生也要分別對待，不能一概而論。

女子養生五不食

這個年齡段的女性，已多為人妻，多為人母。她們跟在家做女孩時已經截然不同了，要操持家務，更重要的是，以前吃家裡煮的飯，現在則要煮飯給家人吃。所以不論從自身角度還是從全家角度來看，她們在飲食上的觀念，對一家人的健康都是極為重要的。而由於生活的打磨，她們又不像在家做女孩時對飲食那麼挑剔，在不知不覺中會忽略一些健康的細節。

食饐而餲，魚餒而肉敗，不食。色惡，不食。臭惡，不食。失飪，不食。不時，不食。割不正，不食。不得其醬，不食。肉雖多，不使勝食氣。唯酒無量，不及亂。沽酒市脯，不食。不撤薑食，不多食。

——《論語・鄉黨》

《論語》中有一段很出名的關於飲食健康的話，人們也稱其為「十不食」。

這段話的意思是：凡是飯因久放、味道變了，魚爛了，肉腐敗了，不要吃。顏色變壞了不吃。味道變臭了不吃。煮得不熟太生，或過熟太爛了都不要吃。不是吃飯的正餐時間不吃。不照正規方法割肉不吃。放的調味品不適合不吃。肉不要吃太多，不要比吃青菜、米飯還要多。至於飲酒，雖沒有明確的限制，但也不要喝醉，以酒後不搗亂、不鬧事為原則。街市上買的酒和肉乾是不潔淨的，所以不要吃。要有薑，但也不要多吃。

孔子所說的這些禁忌是針對當時的祭祀說的，但跟健康也有很大的關係，對我們的啟發很大。針對三十五歲以後的女性，我提出「五不食」的觀點，大家可以對照一下，看在日常生活中是否注意到了這些問題。

▲①剩飯不食

我見過很多在這個年齡段發福的女性，她們常提起一件事，就是家裡吃飯時經常會剩下一點飯菜，扔掉很可惜，留著又不值得，乾脆就多吃兩口，吃光算了。還有一些菜很貴，即使稍微有點變質，只要問題不太大，也將就著吃掉。這對於女性來說是很不好的習慣。

「饑飽勞役」在中醫來講是個很重要的病機，我們吃飯吃十分飽的時候，本來就已經給脾胃帶來負擔了，「再多吃兩口」這種想法可千萬要不得，尤其是天長日久的，會使飲食積聚，給各個臟器都造成負擔。三十五歲以後的女人發胖，很重要的一個原因就是吃剩飯，這可不是危言聳聽，女性朋友用在減肥看病上的錢，可比扔一點剩菜剩飯的錢多多了。當然，最好的方法還是做得適量，既不浪費，又對健康有好處。

▲②不當季不食

《史記·太史公自序》中說：「夫春生夏長，秋收冬藏，此天道之大經也。弗順則無以為天下綱紀。」這是說萬事萬物都有個規律性，該生自然就生了，該熟自然就熟了，這就是天道，是自然變化的依據。

但現代的技術這麼發達，冬天也有長得很大的草莓，都快跟蘋果一樣大了；一年四季都能吃到番茄和綠色蔬菜。尤其是有小孩子的家庭，總會買一些孩子喜歡吃的不當季的水果。吃這些非自然生成的東西，危害性太大了。那從長到熟就沒有經過日光照射的食物，得用多少化學的東西把它們催大？我們吃的只是個樣子，它們不但沒有當季食物鮮美的味道，更沒有營養價值。孩子吃了容易早熟，大人吃了身體機能容易紊亂。就像以前老人說的，不見天的蛋不能吃，就是因為它沒有經過陰陽融合的過程，沒見到陽氣，不是大自然賜給我們的好的食物。所以，能不吃就盡量不要吃這些看似漂亮、卻既沒口感也沒營養的東西。

▲③ 不淨不食

不淨不食包含兩方面。首先是，沒清潔過的東西不能吃；其次是，雖用洗滌用品清潔過，但是洗滌用品沒有沖洗乾淨的也不能吃。現在我們都會用一些洗潔精之類的東西洗食物、餐具，一是乾淨，二是方便，不會殘留油脂，也不用反覆地擦洗。但日本有個詞，叫「經皮毒」，不知大家聽過沒有。就是說，很多化學物質都會通過我們的皮膚、通過我們的口鼻等，滲透到我們的身體裡。其實用一次兩次可能沒什麼，但是如果一個孩子從出生就開始吃洗潔精洗的食物、用洗潔精洗過的碗盤，那一輩子會有多少這種毒素進入體內啊！預防這種不健康生活的辦法，一是選取植物性的洗滌用品，比較自然，毒害少；二是不要每次都用，如果碗筷沒有多少油就用清水刷刷，也一樣乾淨；三就是多沖洗，別怕麻煩，怕麻煩就要多受罪。

▲④添加劑過多不食

我們去商場買食物的時候，盡量不要買那些含防腐劑、添加劑多的東西，雖然這些對於人體來說，基本上都是安全的，但還是人工合成的化學物質，對健康有害無益。我們在選擇食物的時候，其實只要遵循最原始的規律就可以了。現代人把自然的規律打破得太多，疾病也就隨之不斷更新，凡破天道處必有惡疾。

▲⑤過量不食

前面我們說不吃剩飯的時候，談過食不能過量的問題，食不過量也包括兩個方面，一是不能吃得太多，二是同一種味道的東西不能吃得太多。

有的人完全是無意識的多吃，比如晚上看電視，一邊看一邊吃東西，電視看完了才發現一盤水果都已經吃掉了。喜歡吃零食或是有類似情況的人，不妨在買的時候就挑些小包裝的，吃的時候也別捧著一大袋子吃，而是把食物放得遠一些，一次拿一點兒。

偏愛一種味道的人，即使吃的食物總量不算多，但其中一種物質卻已經過剩了。比如愛吃甜，你可能覺得每天才吃七分飽，怎麼還是有很多不健康的症狀出現呢？再比如說有些人喜歡吃鹹，就算每天都只吃個半飽，但鹽的攝入量都已經足以危害健康了。所以說，食量要有限，食味也要有限。

男子養生五必食

中國「男主外女主內」的觀點雖已受到衝擊，但大方向還是不變的，所以這個時期的男性更多地關注於事業，他們的責任就是看護好自身的健康，而不需像女性一樣，要負責全家的飲食。天癸的運行特性決定了男女不同的養生方式。女性天癸的運行是以月經的方式進行的，行經時忌寒涼辛辣等；男性是以射精方式進行的，排精後就需要補益。針對這個時期男性的特點，如果能做到「五必食」，則對健康大有好處。

▲①早飯必食

人體的陰陽消長是以晝夜為輪轉的，白天陽氣充盛，夜晚陽入內，陰氣就充盈於人體。所以當我們早上醒來的那一瞬間，就是陽氣重新輻照身體的時候。但就好像人剛出生一樣，這時陽氣雖開始增長，但並不旺盛，需要培植。

怎麼培植？必須有水穀精微，水穀精微化生人體的津血營衛。吃飯、喝水是身體的需要，不要以為想吃不吃無所謂，吃東西不光是為了你自私的思想，而是為了你身體的每個部位，你不能讓大腦代替其他地方做決定，不能「思想」說今天上班要遲到了就不吃了，那你的心怎麼辦？你的胃怎麼辦？你的肝怎麼辦？你憑什麼剝奪它們對養料的需求呢？如果在孩子剛生下來時就不讓他吃飽奶，時常餓著他，那他能長好嗎？身體的陽氣就是這個初生的嬰兒，吃早飯就是在幫他積攢力量，這樣我們才能讓各個臟腑都得到給養，在接下來的十幾個小時中，它們才能正常地各司其職。尤其這個年齡段的男性，多工作少自保，早餐問題就變成未來健康的極大隱患。

▲②酒前必食

又是老生常談，但又不得不談。酒這東西是「成也蕭何，敗也蕭何」。它能非常快地遊遍我們身體的每個臟器，根本不用消化。它可以到胃腸，到肝臟，到肺臟，到心臟，也能到腦髓，最後散布在我們的血脈。所以它有很好的行氣活血的作用，它能推動氣血在每個臟器的循環。但大量飲酒的副作用也有目共睹，我們能找到的最好辦法也是最土的辦法就是：先吃點東西墊墊底，最好是有油性的，可以防止酒精快速地擴散。

▲③ 生菜必食

男人跟女人不同，女人多喜歡吃一些水果，很多營養素可以從中得到。這個時期的男人本來營養就很難均衡，開始流失的多、得到的少，所以就要想些別的方法補充。有一些蔬菜，比如黃瓜、蘿蔔等，要適當地生吃一些，一來生的東西營養不容易破壞，二來這個時期人體的骨骼也開始走下坡路了。反映在牙上雖然不明顯，但再過十幾年就會看出這始作俑時期的危害，多吃這種有硬度的生食可以強壯牙齒，當別人齒鬆牙脫的時候，您還可以大嚼腥膻。

像瑞典那樣的國家，幼稚園裡每天都要給孩子吃切成條塊狀的胡蘿蔔、黃瓜等生食，就是為了磨練他們的牙齒，補充必要的營養成分。

▲④ 清淡必食

前面我們說過，現代人的體質多偏陽，到了四十歲，男性的身體機能又有所下降，對食物的消化和吸收就會出現些問題。四十年積聚的毒素也在身體裡生根，就等著發芽了，不能再給這些毒素肥沃的土壤，所以要用清淡代替肥厚。

紅色屬火，是陽性的物質，男性又多愛吃肉，所以在肉的選擇上要開始有所取捨，不要吃太多的紅肉。魚一類的水生動物吸取了水裡的寒涼之氣，對我們陽性的體質有所裨益，是男性健康的功臣。男性也要多吃蔬菜，特別是粗纖維的，比如芹菜、韭菜一類，利於宿毒的排出，把毒素生長的土壤瓦解了，身體自然就輕鬆了。這是在為進入中年做準備，以煥然一新的面目迎接即將到來、跟前半生完全不同的生活。

▲⑤ 雞蛋必食

還有就是雞蛋的問題。雞蛋真的就這麼重要嗎？其實說吃雞蛋，是為了讓大家補充蛋白質。不光是雞蛋，豆類的蛋白、魚類等動物蛋白都要補充。男性的天癸跟蛋白是密不可分的，蛋白就是化生天癸必不可缺的養料，男人也得保養自己。

以退為進：年過半百日中天

有句俗話，叫「人到中年日過午」，聽起來挺讓人沮喪的。但回過頭來想，如果人能活百來歲，那五十歲左右才剛是人生的一半，我們還有那麼長的路要走，還有那麼多的事要做，這豈不是人生的黃金期？這個時候我們已有比較堅實的經濟基礎，也累積了足夠的人生經驗，嘗遍了世間冷暖，不正是回報社會、養護自己跟家人的好時機嗎？

女人到了四十九歲，男人到了五十六歲，這是天癸要離我們而去的年齡了。如果前面的階段我們保養得好，這個時期就會度過得很輕鬆，也很可能會使天癸延後再走。五十六、四十九是男女從姤卦向遁卦轉變的時期。姤卦是陰氣開始上升、陽氣開始消退的景象，乾卦全是陽爻，盛極而衰。

看這個「姤」字，是女字旁，女為陰，這個卦是一個女人和五個男人在一起，象徵陰氣開始上升。從自然景象上看，上卦為天，下卦為風，像風在天地間流動，比喻上下可以交通相遇。從一個人的生命歷程看，是人的更年期，說明已開始步入中年了。這個時期要保持一種中正的心態，不能浮躁，接受自然「瓜熟蒂落」的規律。

姤卦之後是遁卦。「遁」有躲避、退讓的意思，通俗點說就是藏起來。這個時候一般要急流勇退，在忙碌了這麼多年後要做一個修整。程頤解這卦時說「君子退，以生其道」，就是說必須退隱才能使另一種狀態展現出來，達到人生的美好境界。

人生處於這兩個卦的時候有一個共同之處，就是注重心態，要不能浮躁，懂得以退為進的道理。這個時期也是人愛生大病的時候，為什麼呢？一是天癸的離去，我們失去了先天的護持；二是半生積疾一朝發，隱患已經由量變到達質變了；三就是心態擺不正，遲暮的恐懼時時襲來，生活狀態的巨大變化讓人無從適應。

天癸竭，男女都會出現腎氣虛衰的表現，先天的元精越來越少，我們就要靠後天的養護來彌補。首先要注意運動，在上一個階段，我並沒有特別強調運動，並不是因為它不重要，而是每個年齡段都有自己側重的方面。這個時期臟器都開始偷懶了，能不動它們就不動，所以，我們必須誘導它們，甚至強迫它們動起來。

比如五十歲左右的人很容易得肩周炎，所以這種病又叫「五十肩」。這就是關節退化的表現，治療上多以按摩為主。按摩就是讓你被動的運動，你自己怕疼不敢動，就只能讓別人幫你動，把你黏連的組織抻開。這種病就是典型的需要運動的疾病，如果平時我們能多游泳，或打打球、練練太極拳什麼的，就不太會出現這種現象了。

還有句老話，叫「花不花，四十八」，是說得不得老花眼，關鍵就看這時的情況。其實人到四十歲左右的時候，眼部肌肉就開始衰弱，功能也開始大幅減退，所以看近物就發生困難。中醫認為，眼睛的好壞是腎的生理病理狀況的表現，如果身體保持健康，腎不虛，就可以使視力延緩減退；如果平時注意保護視力，也可以延緩衰老，推遲老花眼的來臨。不光是眼睛，還有我們上面說過的關節啊、臟器啊、頭髮啊、牙齒啊等等，都從這個時期開始要產生巨大的變化了。

人生前幾個階段中，大家沒有注意的話，多年沉積下來的身體毒素，和我們對臟器的各種傷害就會蓄勢待發，趁天癸枯竭的時候襲擊我們一把。這時我們想要把它們連根拔去已經不大可能了，只能兵來將擋、水來土掩，最有效最重要的就是早發現苗頭，將其扼殺在搖籃之中。

這在平時就要注意自查，定期的體檢是少不了的。現在的醫療保障體系日趨完善，但還有一些中年人沒有意識到體檢的必要性。想想看，要是一年幾千塊錢就能把要命的隱患查出來，還可以讓自己安心，何樂而不為呢？有時候健康跟長壽就是一念之間的事，你重視它了，它就回報你；你不上心，你懶惰了，它就報復你。

除了體檢，我們也要注意平時身體的一些信號。比如手指麻疼，各個手指都聯繫於不同的臟器，如果有類似的症狀，就要警惕是不是心腦有潛在的病變。再比如頭暈、胸悶，如果是輕微的，很多人是不太在意的，但是後果必然是發展成一種嚴重的疾病，所以要感知到身體的信號，並且引起重視。

五十歲以後，有一部分人就要退休了，家裡的子女也長大成人，成家立業或到外地學習工作。國外對這個時期有個稱呼，叫「空巢期」，父母就像兩隻把子女哺育大的老鳥，子女羽翼已豐的時候就會離巢而去，剩下兩位老人，寂寞度日。再加上有些人到了退休年齡，會一下子覺得生活失去了寄託，離社會越來越遠。

這時其實是重回青少年的最佳時機，可以聯繫親戚或同學，大家利用閒暇時間重新團聚。忙碌了幾十年，終於可以不用考試，不用為生活奔忙，可以開心自在地玩了，這豈不是一件大好事？如果身體好、熱心團體活動的人，還可以找一些力所能及的額外工作，不求賺多少錢，只為給自己找個營生，既可以打發時間，又可以回報社會。這種工作方式的好處在於，做不做全由自己說了算，比如做半年，覺得累了，就辭掉，休息幾個月，這樣的工作可稱得上是一種另類的消遣方式了。

以柔克剛：悠長老年安心度

☯ 一位九十四歲老人的生活

我認識一位九十四歲的東北老人，老人中年喪夫，膝下五子。七八十歲的時候，她還到處去做些小生意，賣些襯衣、口罩之類的東西。老人的穿著很有特點，是老式的扣袢大褂，看上去不太像這個時代的人。現在她背已駝，耳也有些聾，但思維卻極為清晰，行動也很俐落，洗衣、做飯、打掃房間，比年輕人都勤快。

老人一天的生活基本上是這樣安排的：早上四點多起床，去住家附近的露天體育場走上五圈到十圈。十圈就是三千公尺啊，大約公車兩站的距離，一般坐辦公室的年輕人一天都走不了這麼遠。六點多回家吃早飯，她的飯量很大，早上就是一大碗乾飯或麵條。然後開始做家務，洗衣服、掃地，因為住的是平房，冬天還要生爐子。忙完了有時小睡一會兒。十二點左右吃午飯，又是一大碗飯。老人還很愛吃肉，五花肉一口一塊，不挑瘦肥。下午就是娛樂時間了，自己玩玩紙牌，曬曬太陽。吃過晚飯，六點多鐘睡覺。

老人有兩件最高興的事，一是過年過節、過生日，孫兒孫女給她紅包，二是有人陪她聊天玩紙牌。老人家「愛財」，玩紙牌贏了錢能高興好幾天。她家的子女也很有意思，有時為了讓她高興，故意在地上放個十塊、二十塊錢，讓她撿到，發點小財。

這位老人可以說夠健康夠長壽。她的日常生活也不是高不可攀的，而是非常平民化的，我們每個人都能從中找到自己的些許影子，並學到一些長壽的方法。

▲① 生活規律

像這位老人一樣，規律的作息時間是老年人養生的基礎環節。「易」本身就是講陰陽規律，上到宇宙，下到螻蟻，也都是在按照各種規律演變發展。人要想長壽，就要先遵從生活上的小規律，作息守時，飲食定點，這樣才能讓逐漸老化的身體有一個運行的依據，它們就知道到什麼時候做什麼，這樣才不容易出問題。

▲② 勞逸結合

永遠不要放棄運動。陰陽消長就是陰和陽互相變化的過程，如果陰也不動，陽也不動，那我們這個世界也就不可能存在了。變動是任何生命存在的根本。

> 天尊地卑，乾坤定矣。卑高以陳，貴賤位矣。動靜有常，剛柔斷矣。方以類聚，物以群分，吉凶生矣。在天成象，在地成形，變化見矣。是故剛柔相摩，八卦相蕩。鼓之以雷霆，潤之以風雨，日月運行，一寒一暑。乾道成男，坤道成女。
>
> ——《周易．繫辭傳》

> 地氣上齊，天氣下降。陰陽相摩，天地相蕩。鼓之以雷霆，奮之以風雨，動之

以四時，暖之以日月，而百化興焉。

——《禮記・樂記》

地氣是向上升騰的，天氣是向下沉降的，陰與陽互相摩擦，天與地彼此激盪，再加上雷霆的鼓動，風雨的飛動，用四季不停地運轉它，用日月來溫暖它，於是這世間的生物便生長起來了。

人是大自然的產物。大自然運行中的各方面，無一不影響著人類，要想養生就必須取法於自然。自然是規律運轉的，那我們也要規律地生活；自然是陰陽運轉調和的，那我們也就要勞逸結合。

▲③飲食當量

說到飲食，其實世間人千差萬別，各有特點，沒必要一定按照一個規矩去吃。只要所攝取的水穀精微能滿足身體的需要就可以了。不多吃，也不要餓著。像有些老年人喜歡吸煙、飲酒，而且習慣已持續多年，也用不著一定嚴格戒掉。規律跟習慣性對老年人很重要，一旦突然間打破一種規律，他們不像年輕人那樣，能很快適應，往往會出現一些意想不到的事兒，所以無論是子女還是自己，都不要強迫著快勞宮穴，有強壯心臟的作用。可以用兩手拇指互相按壓，也可將兩手頂在桌角上按勞宮穴，時間自由掌握，長期堅持可使心火下降。

五是腳心，也就是湧泉穴。準確地說，湧泉穴在腳底中線前三分之一與後三分之二交界凹陷處。勞宮穴與湧泉穴這兩個穴位要互相交叉按摩。湧泉穴是腎經的穴位，勞宮穴是心包經的穴位，互相按摩可以達到心腎相交、水火相濟的效果，可以治失眠。每晚臨睡前半小時，先擦熱雙手掌，然後右掌按摩左湧泉，左掌按摩右湧泉，使心火下降，腎水上升，可促進睡眠。按摩的時候一定要心靜，心中不要有雜念，只想著勞宮穴和湧泉穴的位置發熱，這就是心腎的精氣在交接、交合。

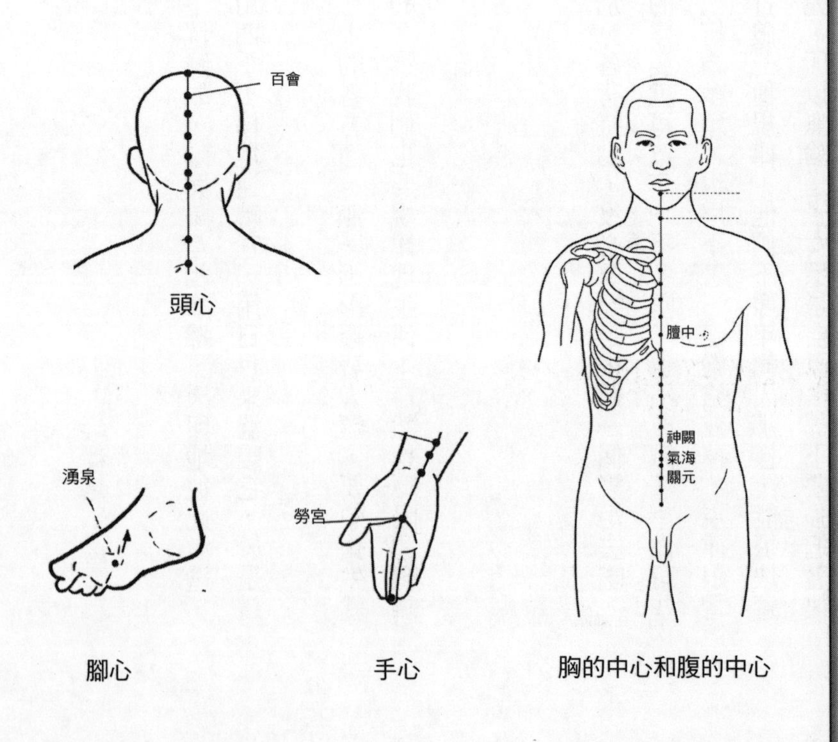

適合老年人的活動

第一種是下蹲運動，下蹲的時候上身盡量挺直。《黃帝內經》上說「膝為筋之府」，膝關節這裡筋腱很多，是人類活動度大的關節中承重最多的一個，很多老年人都會或多或少地出現膝關節的問題，這個運動既簡單又有效，老年人應該每天都做一做。如果做蹲起動作不方便，可以先用手拽著床、桌子腿等地方，千萬不要摔倒。如果膝關節有炎症，則不能做這個運動。

第二種運動是腦部的運動。人們都說「老糊塗」，「老糊塗」也是可以預防的。腦要用，老年人要有自己的遊戲項目。比如像前面說的那位老人一樣，玩玩牌，下下棋，或者寫寫字，畫點畫，都是很好的活腦運動。

再有一個中醫按摩的方法，就是用十指在頭上從前額向後敲打到脖子，間或在頭頂按一按。頭為諸陽之匯，手足三陽經均會聚於頭。《靈樞 ‧ 海論篇》中說：「腦為髓之海。」我們身體的元神也藏於腦，它關係到所有的精神活動。持續地對頭部加以刺激，可以使陽氣升發，是培植老年人陽氣的好方法。

我在《黃帝內經養生全解》中還介紹過一種動功「五心養生法」，就是取人體的五個中心穴位進行按摩。

一是頭心，在頭的正中間，即百會穴。要經常用掌心按摩它，因為這是諸陽之匯，是人體的最高處。

二是胸的中心，叫膻中穴，也叫氣海。捶打它可以驅散邪氣，驅散心中的悶氣、抑鬱之氣，當然，還能排泄毒氣。俗話說「捶胸頓足」，就是這個道理。可兩手交叉，握空心拳，不要太實，稍微留一點空，然後捶打這個穴位。現代科學發現，人老是從胸腺開始衰老的，所以經常捶打這裡，還可以延年益壽，效果特別好。

三是腹的中心，就是在下丹田的位置，下丹田乃生命的先天之本，要護養好。每天早晨、晚上按摩，少則兩次，多可四次。順時針六十下，逆時針六十下，讓下丹田有溫熱舒適的感覺。

四是手心，手心就是勞宮穴的位置，是心包經上的穴位。經常按壓手心速地打破多年形成的生活平衡。

但就養生而言，要堅持食物的多樣化，不要總吃那幾樣，現在蔬菜品種很多，要不時地換換口味。老年人脾胃虛弱，消化功能衰退，所以不宜吃過硬、過油膩的東西，這樣不利於消化吸收。要少量多餐，吃多不但給脾胃增加負擔，對心臟的副作用也很大，尤其有心臟方面疾病的老年人，千萬不可多食。細嚼慢嚥一直是該提倡的飲食方法，可以避免我們吃多，還可以把食物嚼得比較爛，這樣腸胃更容易消化它們。即使在夏天，老年人也不能過食生冷，飯菜要熱一熱再吃，至少要保證它是溫的。冬天的時候水果也不要買來就吃，在室溫中放一放，如必要的話還可以用開水燙一燙再吃。

▲④感恩知足

前面說過的那位九十四歲的老人有一個特點，見人總是笑呵呵的。她總會跟人說現在的生活很好，天天想吃什麼就能吃到什麼。子女也好，三不五時都來看看她。周圍人對她也好，體育場一起鍛鍊的人都認識她，看見她總豎大拇指。

在她的眼裡，生活到處充滿了陽光，她隨處看到的都是別人的好，三餐溫飽，兒女平安，她也就別無所求了。大家都可以問問自己，我們覺得現在的日子怎麼樣？是不是有很多期望，有很多不滿足的地方？還上班的人是不是嫌賺的錢不夠多？看見別人開汽車是不是總鬱悶自己還要擠公車？怎麼別人家孩子給父母買的是五千元的羊毛衫，我的才四千元？需知人貴知足，知足而後可延壽。

▲⑤寬容體諒

老人的子女如果有段時間沒來看她，她會說：「孩子都不容易，都忙啊。」在路上有車刮到她，旁邊圍觀的人都叫她跟闖禍的人多要些錢，這麼大歲數，司機不敢不給。可是老人拍拍衣服，跟開車的人說：「走吧走吧，沒事兒。」就是這種寬容跟體諒，讓她能生活在一種輕鬆的狀態中。心下無塵，世上無憂。中醫講究情志，七情皆能傷人。而避免為七情所傷，就要自己建立一道心靈的屏障。

☯否、觀、剝、坤，後四卦的養生警示

從否卦（䷋）開始，人就要進入暮年。否卦是泰卦（䷊）的倒置，上乾下坤，天地截然分開，陰陽之氣不能交通，所以否卦就有阻塞的意思。人體的氣機阻塞了，血脈阻塞了，情志阻塞了，就會形成癥結。

「觀」（䷓）有觀察的意思，可不是我們一般說的注意看看的意思，它指各種

觀察對象和觀察方法。我們怎麼去觀？用一種什麼樣的心情去觀？古代人對自然、對祖先是懷著一百二十分的崇敬的，看看他們的祭祀活動就知道了。現在的科學很發達，很多在古時候解釋不了的事情都找到了答案，但是對於大自然，對於我們賴以生存的一水一地、一草一木，對於生命神奇的誕生與終結，又怎能輕視呢？所以到了觀卦的年紀，我們的意識應該是宏觀而闊大的，以一種寬宥、崇敬之心，去看待自然、看待生命。

剝卦（䷖）下面的五爻都是陰，只有上面一爻為陽。它象徵萬物蕭索的秋季。「剝」有剝落之意，就是落下來。它的意義在於告訴我們，怎麼在陽氣快要凋零的時候止住它的剝落。因此它的卦辭中說「不利有攸往」，就是不能再往前走了，再走就是不利的，繼續前行的話，陽氣就全沒了。

坤卦（䷁）是十二消息卦中的最後一卦，六爻全部為陰，可能有人會認為，到了這卦就沒什麼指望，一點陽氣都沒了，豈不是個大大的不吉之象？其實不然，這是個峰迴路轉、絕處逢生的卦。

坤代表陰，代表女，代表柔弱。人到了這時，身體衰弱了，慢慢又回復到嬰兒出生時的柔弱狀態，需要別人照顧。但最柔弱的東西一旦發動起來，恰恰也就是最剛強的。水無形，水不爭，進方則方，進圓則圓，這就是順應的智慧。這時人所要做的就是順應自然和生命的規律，天有日月星辰，人要晝醒夜眠，地有秋收冬藏，人要吐故納新。養生的大智慧也就在此，所謂的補益、壯大都是次要的，真髓在順應——順應自然的規律，順應生命的規律。

第三章

《易經》八卦的時令養生

《易經》早在《黃帝內經》之前就從自然的規律中提煉出了一個大時空合一的模型，這就是與二十四節氣相一致的「八卦時空模型」。

八卦時空模型將方位與卦象相結合，蘊含了春生、夏長、秋收、冬藏的自然規律，這一時空模型與我們現在所使用的農曆，更是老百姓身邊的養生時間表。

農曆是養生時間表

充滿智慧的二十四節氣

什麼東西最能反映中國人的智慧？我們可能會想到四大發明，想到萬里長城。其實我們忽略了一個非物質的、卻與我們每天的生活都息息相關的東西，它集歷朝歷代人民智慧於一身，經過幾千年不斷地完善而成，這就是中國的曆法。中國人用什麼曆法呢？很多人說是「陰曆」，這種說法是不確切的，我們古代的曆法不是純陰曆，伊斯蘭教曆才是純陰曆。我們的是陰陽曆，也就是常說的「農曆」，又叫夏曆。

顧名思義，農曆是用來指導農民耕種莊稼的曆法。二十四節氣是農曆中很重要的一部分，是根據太陽的位置劃分。它起源於黃河流域，所以東南西北各地不能一概而論，還是有一定的差異性。

「節氣」很有意思，它根據太陽的位置定制，也就反映了陽氣陰氣的消長關係，同時也能反映當時最重要的天氣現象。比如霜降，我們看就知道這天要發生什麼事了，事實上也就是這樣，到了霜降這天也多半是要下霜的，很準確，很神奇。

天人是相通的，天的寒熱溫涼必然反映到我們的身上，不但農民能根據節氣耕種，我們也要善用節氣，它在養生方面的作用非常巨大。

黃帝曰：夫自古通天者，生之本，本於陰陽天地之間，六合之內，其氣九州、九竅、五藏、十二節，皆通乎天氣。其生五，其氣三，犯此者，則邪氣傷人，此壽命之本也。

——《黃帝內經・生氣通天論》

黃帝說：「自古以來，人的生命之氣，通達於天，是生命的根本，陰陽是這個根本的基石。天地之間上下四方六合之內，地之九州，人之九竅、五臟、十二關節等，都是和天氣相通的。天地陰陽，化生五行；上應天之三陰三陽。時常違反了這種天地人相應之道，邪氣就會傷害人，這個原理，就是壽命的根本道理。」我們怎麼去找黃帝說的這股通於天的生命之氣？怎麼去找這種陰陽的基石呢？最簡單的辦法就是根據節氣來尋找，把節氣當成養生的依據。在這個基礎上我們再來養生，那就方便多了。

在二十四個節氣中有八個最先出現，其他的節氣是在其後不斷完善而成的，這八個節氣也就尤為重要，它們是四正和四立。四正：冬至、春分、夏至、秋分；四立：立春、立夏、立秋、立冬。

八卦是節氣與養生的結合點

其實，在《黃帝內經》之前的《易經》中，先人們早就從自然的規律中提煉出了一個大時空合一的模型，這就是與二十四節氣相一致的「八卦時空說」。為什麼我們這樣叫它呢？因為它不但包含了春生、夏長、秋收、冬藏的自然規律，更把這些自然規律與方位和八卦相結合，雖然和後來完善的節氣相比，稍顯籠統，但更全面、更宏大。

八卦節氣圖

帝出乎震，齊乎巽，相見乎離，致役乎坤，說言乎兑，戰乎乾，勞乎坎，成言乎艮。萬物出乎震，震，東方也。齊乎巽，巽，東南也，齊也者，言萬物之絜齊也。離也者，明也，萬物皆相見，南方之卦也。聖人南面而聽天下，向明而治，蓋取諸此也。坤也者，地也，萬物皆致養焉，故曰致役乎坤。兑，正秋也，萬物之所說也，故曰說言乎兑。戰乎乾，乾，西北之卦也，言陰陽相薄也。坎者，水也，正北方之卦也，勞卦也，萬物之所歸也，故曰勞乎坎。艮，東北之卦也，萬物之所成終而所成始也，故曰成言乎艮。

——《周易．說卦傳》

《周易．說卦傳》第五章，有六卦直接被定了方位，餘下的坤、兑兩卦，照順序排也可以排定。這六卦是「震，東方也」、「巽，東南也」、「離也者……南方之卦也」、「乾，西北之卦也」、「坎者，水也，正北方之卦也」、「艮，東北之卦也」。這六卦位置確定之後，坤在離卦後面，那坤就應該在西南，坤之後是兑，兑就在正西方。這樣的排列就得出後天八卦的方位排列，這就是一個思維模型，一個思維平台，中國人用的就是這個思維平台。

這種方位應該說是《易傳》的代表性方位，它還代表著時間的次序。這種方位與時序相配，就用來說明萬物產生和發展的時空合一的規律。以四正卦配上四時，四正卦是正東方震卦、正南方離卦、正西方兌卦、正北方坎卦，四時就是春、夏、秋、冬。所以東方震就代表春分，離卦就代表夏至，兌卦就代表秋分，坎卦就代表冬至。再以「四隅卦」分別配以「四立」，就是艮為立春，巽為立夏，坤為立秋，乾為立冬。這就是宇宙模型，宇宙就是時空，「上下四方曰宇，往古來今曰宙」，宇是空間，宙是時間。

再配以五行，因為從文獻考察來看，「五方」觀念是「五行」的源頭之一，五方早期就有了五行的規定性，所以依據八卦的方位，是可以配以五行的。而且《周易·說卦傳》在闡述八卦的取象時，已經說了「乾為金」、「巽為木」、「坎為水」、「離為火」，而其他四卦也隱含了五行屬性，如「坤為地」、「艮為山」，地和山都屬土，「兌為毀折，為剛鹵」，隱含具有金的屬性，「震為決躁，為蕃鮮」，隱含具有木的屬性。那麼就是乾兌為金，坤艮為土，震巽為木，坎為水，離為火。還配上數字，這些數字依據洛書數安排，就是乾六、坤二、震三、巽四、坎一、離九、艮八、兌七。

由此看來，把節氣與健康、養生結合在一起的就是八卦。根據「八卦節氣圖」，我們能直觀地看出這八個節氣配應的卦，這就可以著手養生了。

艮卦——立春：護陽養身促復甦

艮卦（☶），既是萬物的終止，也是萬物的開始。一年是從立春開始的，所以艮包括的三個節氣是：立春、雨水、驚蟄。

一般以立春為春天的開始，「立，建始也」，立就是開始建立的意思。而《尚書大傳》上說：「東方為春，春者，出也，萬物之所出也。」震屬東，所以到了震卦春分才是木旺的時候，這時春天才真正來了。艮卦下兩爻都是陰爻，說明此時還是陰氣凝重，陽氣還沒有向上蒸騰。需過了立春，萬物乃復甦，生機勃勃，於是這一年的好光景就開始了。

春寒尚早思溫暖，欲做神仙定食粥

立春過後，一陽開始上升。冬天的時候，我們把陽氣蘊藏於內，這時天地剛剛升發的陽氣就容易和體內的陽氣相搏結，生出病來。

所以從立春以後，飲食中不要吃得過熱，像冬季那種飲食習慣就要改變了；但同時又不能過涼，畢竟這時陰氣才開始一點一點退去。所以，飲食尚溫。我們常常會聽到一句老話兒「春捂秋凍」，這時的捂可不像冬天一樣，要把陽氣都蘊藏於體內，而是要有所選擇地排出冬季的毒素，穿著上要「上薄下厚」，就是說上面可以少穿點，但腿部，尤其是腳，萬萬不能涼到。這時地下至陰之氣正待升發，陽氣開始由下而上，逐漸轉暖，所以如果腳下穿得少，就會直接與地陰相接，受陰邪而成病。

艮卦這三個節氣所經行的時期，適合吃粥。有些家庭喜歡往粥裡放些甜物或鹹物，有時加一些藥材也有利於補益，但物極必反，我們往往忽略了糧食本身的滋補作用。在很多有名的藥方中都有「粳米」這一味藥，唐代醫藥學家孫思邈在《千金方．食治》中強調說，粳米能養胃氣、長肌肉。陸游是個長壽的典範，寫了一首《食粥》詩，說：「世人個個學長年，不悟長年在目前，我得宛丘平易法，只將食粥致神仙。」這粥是指白粥。其實吃粥不止在艮季，如果能常年堅持下來最好，如果能在立春到春分這段時間每天早上空腹喝些粥，可以消散冬季積存下來的毒邪，有利於我們體內的新陳代謝。

以手摩面光不皺，保腎叩齒勤梳頭

孟春正值陽氣發陳，我們要幫助這些陽氣外達，有一個方法其實很多人或多或少都用過，就是先把兩手放在嘴邊呼氣使手變暖，然後就著這股熱氣馬上摩搓全臉，直到臉發熱為止。如果是吃完早飯，也就是喝完粥之後做這個動作，我們的胃剛受納了滋養的水穀精微，身體的陽氣開始增強，這個摩面的動作又使內外陽氣相通達，可以讓人面色光亮不發皺。

女性最應多做這個動作，可以讓你容光煥發，比什麼化妝品都有用，而且還是純天然的，沒有任何副作用。「行之三年，色如少艾。」少艾就是年輕美貌的女子，現在女性用的那些化妝品其實有很多重金屬毒素，時間長了，到中年後就會生出許多色斑來；而用手摩面可以讓血液循環加快，尤其是初春，還可以溝通內外，助陽滋陰，堅持三年，面光不皺。

春為木，肝屬木，所以到了春季要注意養肝，但是艮卦時期肝氣還不旺，而腎氣開始衰微，所以立春前後要助腎溫陽。

齒是骨的一部分，也是為腎所主。古代時不興刷牙，而講究漱口和叩齒。早上洗漱完畢，面陽而立，用手指叩擊牙齒，可令齒堅。同時，我們叩齒時，牙齒一定都是露在外面的，會接觸一些涼氣，這更能讓牙齒不懼寒冷，堅持下來真是「冷熱酸甜，想吃就吃」了。

春季萬物開始萌動，人也到了生長的時期。青少年時，春季就是要長身體；到了成年，我們的齒髮皮毛也會重新生長，如同花草，所以此時要注意頭皮的按摩，用科學的方法保護頭頂的毛髮，最好十指彎曲，以指代梳。手指本身有一定的溫度，而且不像梳子那樣銳利，觸覺還很靈敏，能夠感覺到頭皮舒適與否，所以做起來效果甚佳。從前髮際開始，向後直梳到後頸，間或在頭頂敲打幾下，力道不能太輕。有些人在叩頭皮的時候會有明顯的痛感，有時輕輕摸一下都疼，這就更要多叩幾下，到有些微麻的感覺最好。

頭頂就像兩軍爭搶的制高點，誰占據了它，誰就爭取到了主動權。如果這個地方再不好好保養的話，那可真是愚笨了。手足六條陽經再加上督脈都上行顛頂，還有什麼地方能讓你一次按摩到這麼多穴位呢？中醫按摩中專門有頭部按摩，我們的十指梳頭就類似於這種作用。如果從五十歲左右開始做起，到了老年，頭髮要比同齡人好得多，而且還有精神、不倦怠。

養生護生人舒暢，慈悲一念天地寬

《黃帝內經》中說：「生而勿殺，予而勿奪，賞而勿罰，此春氣之應，養生之道也。」這是說春天不是殺戮的季節，從自然界來看，很多動物都是在春天產崽、哺育，為適應自然，我們在春季也要注重護持生命，不單單是養我們自己，還有自然界眾多的生物。我們看電視也都知道，在古代處決罪犯的時候要「秋後處斬」，不是在春天執行死刑，要等到秋後問斬，國家的法律尚且都遵循自然的規律，更何況我們個人的養生。

放生的淵源來自慈悲，佛家說放生是一種大大的福德。我們現在雖然不是都要做形式上的放生活動，但要心存善念。人心善，必然舒暢，就不會因情志內傷身體。

立春的時候，北方人喜歡吃春餅，薄薄的餅卷以豆芽之類清淡的蔬菜，味比較清淡。這也證明了這個季節飲食適合選擇植物，不適合宰殺動物、取其皮肉。我很喜歡那句老話：「勸君莫打春來鳥，子在窩中盼母歸。」養生是個大觀念，是養自己，也是養芸芸世間的眾多生靈。

震卦——春分：與春天一起舒張氣息

震卦（☳）為正東，震包括三個節氣：春分、清明、穀雨。

春分是春季九十天的中分點，這一天南北半球晝夜相等，所以叫春分。這天以後，太陽直射位置便向北移，北半球晝長夜短，所以春分是北半球春季真正的開始。《春秋繁露・陰陽出入上下篇》說：「春分者，陰陽相半也，故晝夜均而寒暑平。」春分也就是把春季一分成兩半，這一天跟秋分時一樣，是陰陽之氣平穩之時。

我們來看震卦，上兩爻為陰，下面一爻為陽，這說明此時陽氣開始正式入主東宮、掌握大權了。這個時候青草嫩芽，一派充滿生機的景象，人們在養生時也要和春天舒張的氣息相呼應。

需防形懶氣血惰，必要健走消積食

春分前後雖然天氣變暖了，但是氣溫並不穩定，乍寒乍暖的。老年人一般都有些老毛病，在這個時候，體內的宿疾藉著溫陽之氣都要發動出來。此時人容易困頓倦怠，俗話說「春困秋乏」，這個時候老年人更容易腰腳無力、形懶肢乏。

《黃帝內經》中說在春季要「夜臥早起，廣步於庭，被髮緩形」。春分後，天氣已經明顯轉暖，地氣也逐漸轉陽，這個時候大家可以多到外面去走走。肝在體主筋，步行可以把筋活動開，使得脈絡得以流通。開始可以少走一些，然後慢慢增加，把筋都舒展開了後，四肢自然就會強健。如果懶得動，筋就會拘攣在一起，日子長了再想伸展開就難了，久坐會傷筋肉也就是這個道理。

散散步其實也是很有講究的。剛開始走的時候要「徐徐行一度」，然後逐漸加快。散步時不要心事重重，一邊想著在公司裡剛跟誰吵完架，想著誰欠我多少錢，這個起不到養生的作用。「散步」的「散」是什麼意思呢？散就是不拘一格，比較隨便，得在一種閒暇自如的狀態中進行，這樣在強身的同時還可以養神。我們常聽到「吸取日月之精華」之類的話，不是在太陽、月亮下邊就會吸取到它們的精華，要有一種狀態在那兒，這樣才能「天人合一」，才能使天、地、人相交通。《南華經》上曾說：「巧者勞而智者憂，無能者無所求，飽食而遨遊，泛若不繫之舟。」就是這種無憂無求的散步狀態才是最好的、最值得提倡的。

散步最忌勉強，這不是幾千公尺的耐力跑，也不是練兵，沒有必須達到的強度，適可而止。也可以且行且立，走得累了就停一會兒，跟人聊聊天，聽聽鳥叫，看看藍天。有時我們跟幾個朋友一同出去，玩得高興了，不覺疲倦，等坐下來休息的時候才發現累到不行，這就已經傷到了正氣。老年朋友尤其要注意。

「飯後百步走，能活九十九。」飽食後是需要消化的，如果飯後不動，食物就會停留在胃裡，如果緩緩行走，就會調動脾氣，脾胃合作也就使食物的腐熟更加容易。古人有個比喻，說脾胃都屬土，就好像土地，要想讓土地工作就得先耕鋤，如果不動，那這塊土地就要荒蕪了。所以「動」就是耕鋤脾胃這塊地的鋤頭，散步故能消食。吃完飯，過半個小時，出去走走，即使年老體弱、不能出門的，也要在家裡走幾圈，對筋骨、對脾胃都是很有好處的。

勤脫勤換護肩背，養肝當食菊花粥

春分過後由於天氣變暖，大家戶外的活動就多了，天氣寒熱不一，時升時降，人就容易受寒。老年人氣虛骨弱，不敵外寒，很怕冷，所以在減衣服時要一件一件來。不光老人，年輕人也是一樣。很多十幾二十歲的孩子，一到了春天，只要有一天溫度高了一點，就馬上脫了厚衣換單衣，早上公車站經常能看到瑟瑟發抖的年輕人，讓人覺得又可氣又可笑。不是舊社會，卻一樣不讓自己溫飽。

這時的溫差很大，早晚涼，老人又多喜歡早上出去晨練，要多穿一點，等到中午氣溫高了再脫掉。勤脫勤換，隨天加減，最好是預備一件外套，走到哪兒帶到哪兒，冷了就穿上，何必凍著呢？當然，像立春時一樣，這時畢竟是春天了，也不能讓上身太熱，不然也是容易生病的。

除了全身的保暖，還有一個部位要特別照顧，就是後背。春夏相交，虛寒時熱之氣就會傷人，冬月鬱結在內的火氣催痰上湧，這時老人容易多痰多咳。而背寒傷肺，年齡大的人最要注意。老人都要預備一件背心，專門用來護住前胸後背。

既然說節氣主要是依據黃河流域的氣候定制的，那麼南方跟北方就會有所不同。這個時候，偏南地區氣溫一般都比較高了，而且陰雨連綿，雨水要比北方多得多，濕氣很重，穿衣不能太潮，注意乾爽。南方人又喜歡喝湯，這時如果喝了太多的湯湯水水，就會聚而為濕，內外夾攻，必會積下病來。

菊花是有名的養肝明目之佳品，還可以解毒疏風。菊花的種類很多，熬粥最好用花頭小的，白色最佳，黃色次之。用的時候要去掉花蒂，花要乾，最好研成粉。為了增加其滋補的作用，還可以在裡面加上兩片參片。這種菊花粥也是清淡之品，符合春季木的特性。

春燥肝怒陽上亢，忍耐平和是妙方

春分時正當木旺，中醫講肝在志為怒，怒會傷肝，同樣，肝受傷了也會表現為易怒。怒會使氣血上湧。我們常聽到很戲劇化的描述，說「氣血上湧，一口鮮血噴了出來」之類的。肝熱被傷後，嚴重的確實會引起吐血、嘔血的症狀，這並不是危言聳聽。

除了怒，肝病還會表現為抑鬱，也就是現在很多人說的「鬱悶」。有的人平時特別喜歡歎氣，那是因為他肝氣不舒引起的。為了把鬱結的肝氣抒發出來，只能不時歎氣。還有一個詞叫「傷春」，在春天即將離去的時候，人會有些傷感，尤其那些感性的人，覺得良辰美景短暫，不禁就悲傷了起來。

那麼容易動怒的人怎樣磨練自己的性格呢？有人覺得這類人不適合玩棋類遊戲。圍棋象棋雖然也能消遣，但易動火，因為總要分出個勝負，在玩的過程中也總有你悔棋我不讓的情況，一言不合，就容易計較起來。這種說法有一定道理，但只要對一件事物專注，都可轉移注意力，如果有這種嗜好的人，不妨生氣的時候就把棋拿出來下一盤，把火氣消磨在遊戲裡。肝火旺的人更適合養魚種花、寫字聽琴。養魚種花不求什麼名種，只是為了愉悅，最好養些不同季節的花草，這樣一年四季都能看到青葉嬌花，每天跟家裡人澆水施肥，可說是賞心悅目、陶性移情。

也不妨多做些小事，男性在家的時候洗洗碗、掃掃地，一些小事情也能磨練我們，讓火氣消磨在這些事情裡。

春季陽氣上升，木又處在生長期，如果蒸騰得太過，就會出現上面提到的狀況，所以在心理上，要時時告誡自己忍耐平和。跟人吵了架、生了氣後，反省一下自己，下次再要想大吵的時候，就換個角度想一下。比如過馬路，我們總覺得車不讓人，但反過來看，開車的人也想快點過去，也怕一旦讓開了，後面的人跟著都上來，自己就寸步難行了。這樣將心比心，把自己當成別人，即使不能做到完全的理解，也多少能在心理上找到一些平衡。常常換位思考，不但能解決很多想不通的問題，時間久了還會發現，這也是個愉悅心情的小遊戲。

巽卦——立夏：初入夏時防熱病

巽（☴）包括三個節氣：立夏、小滿、芒種。

立夏是夏季的開始，從此進入夏天，萬物變得旺盛。實際上，若按氣候學的標準，日平均氣溫穩定升達攝氏二十二度以上為夏季開始，「立夏」的時候只有南方一些城市能達到這個溫度，而東北和西北的部分地區這時才剛相當於春季。

我們來看巽卦，巽上兩爻為陽爻，最下面是陰爻。立夏雖然在節氣上標誌著夏天的到來，陽氣已然蒸騰於地上，但還有一陰深陷其下，此時既要防熱之為病，又不可不防那一陰在我們無所防備時偷襲。

日為陽精壯陽氣，一覺閑眠百病消

萬物皆可分陰陽，而陰陽的由來本於太陽和月亮。所以日也就是自然界中最大的，也是最本質的陽。我們說天道自然，養生就是要緊隨自然的規律，這最自然、最盛大的陽可以給我們多少補益啊！如果浪費掉了就太可惜了。

古人云：「日為陽之精。」日是陽的精華所在，當春夏交接的時候，天氣不冷不熱，是採陽的最佳時刻，老年人不妨把曬暖陽作為每天的必修課。

大家知道曬太陽的好處莫過於可以補鈣，但這只是陽光作用中的九牛一毛。中醫中有一種灸法叫日光灸。就是把艾絨鋪在要灸的穴位上，然後到太陽光下曝曬，太陽光的熱度可以產生類似於灸法的療效。古人認為：「日，太陽之精，其光壯人陽氣，極為補益。」事實上也確是如此。打個比方，植物一般在陽光充足、土地濕潤的地方長得又快又大，在陰暗不見光的地方就只能生些苔蘚而已。植物的生長需要光合作用，陽光是萬物生長的必要條件。自然界的規律，是人也應效法和遵守的，既然動植物都需要陽光，那人也就不例外。

《列子》中有一個小故事，說一對老農，家裡十分貧寒，也沒有過冬的棉衣，冬天的時候老頭兒就在外面背陽而曬，直曬得通體溫暖，很是舒服。回家他就跟老伴兒講：「這曬太陽太好了，這麼好的事別人都不知道，多暖和呀。我們要是把這事兒告訴了皇上，那能得多少獎賞啊！」故事聽著好像笑話，不過卻已經把太陽的作用講清楚了。太陽最大的作用就是溫煦。在我們身體上，背為陽，腹為陰，讓太陽曬曬背，對心肺有很大的好處。背部有很重要的穴位，是人體健康的重要屏障，易因受寒而影響到心肺的健康，特別對於有肺炎、慢性支氣管炎、哮喘、氣管炎等各種慢性病的中老年人來說，曬曬太陽可以把寒氣逼出體外。

曬太陽也要講究季節跟時間。像上面小故事中說的就是冬天曬太陽。但是北部跟西部冬季氣溫太低，人不適宜在氣候那麼惡劣的條件下久坐於室外，老年人更是不敢冬天的時候在外面過多活動。有些人說，那我們站在窗戶前面曬曬不行嗎？還真是不行。玻璃阻隔過的陽光雖還有溫度，但像殺菌等作用就失去了，所以還是讓皮膚直接接觸陽光的好。

南方從春天開始，北方一般就從立夏開始到夏至，這段時間太陽不會特別酷烈，溫度又適宜，在上午九點多鐘的時候，到外面溜達溜達，累了就背陽而坐，曬上半個小時，讓自然的陽氣驅除我們身體裡的陰毒寒邪，是何等愜意啊。

陽光還能振奮我們的精神，上班族一般壓力都比較大，睡得晚、起得早，白天工作易困，效率也比較低，曬太陽就可以很好地解決這個問題。年輕的小姐總怕被曬黑，又聽了很多化妝品廣告宣傳的太陽對皮膚的害處，就都躲著太陽走。其實如果能在上班的路上走一走，或者上午能到外面小曬五分鐘、十分鐘的太陽，精神會好得多，又可以神采奕奕地工作了。

立夏後除了曬太陽，人還要注意小睡。白居易在《閑眠》中寫道：「暖床斜臥日曛腰，一覺閑眠百病銷。盡日一餐茶兩碗，更無所要到明朝。」夏天天氣轉暖，本來人在熱的環境中就容易困乏，所以中午小睡一下也合情合理。老年人更要注重小睡。夏天晝長夜短，老人本來就覺少，這個季節更是起得早，所以要在白天補充一下。

早上五點左右是陰氣最重的時候，如果臟腑、骨節有什麼病症，就會在這個時候顯露出來。淩晨三點到五點是寅時，正是肺當值的時間，然後是大腸，如果這段時間睡不好，就會影響到這兩個臟腑。在白天小憩，可以使人在平靜的狀態下重新調節身體的臟腑平衡，是夜覺不足的補益。

對於老年人來說，也不用擇時，不一定偏要在中午才能睡，什麼時候困了就睡一下，對緩解疲勞、調節精氣很有必要。

夏風莫吹諸陽會，桑葚久服固陰精

到了立夏後，天氣轉暖，人的防寒意識就下降了。尤其在睡覺的時候，更是不注意。中醫看來，溫度高，毛竅就會大開，腠理容易受風，關節筋骨接合處也容易被風邪所傷。但是這些地方都可以用被子蓋住，只要不直接暴露於風下就沒事了。

而我們的頭（更確切地說是顛頂），卻沒有那麼好命了。中國人沒有戴睡帽的習慣，把頭蒙起來睡又是很不健康的，所以在睡覺時，頭也就沒有什麼遮蔽。而頭部又是諸陽之會，陽經和很多穴位都在此彙集，一旦有風邪竄入，可令嘴目歪斜；風性善行，若風邪深植於經脈，可沿經遊走，到時候就不光是頭部的問題了，全身都會跟著遭殃。夏天雖然暖，也不能當風而睡，讓風直接吹到頭部，須知四季皆有風邪，不提防就會傷人。

到了五月，就是桑葚開始成熟的季節了。桑葚的果實期很短，不是四季都能吃到的，尤其北方地區，本不產此物，所以吃到的就更少一些。桑葚由青一轉而成紅，再由紅轉而成紫，最後竟有些發黑，若不小心弄到衣服上，好似血污。桑葚本像血色，很能補益陰血，對陰虛血虧的頭暈耳鳴、失眠遺精等，都有很好的作用。古時候甚至把它和何首烏並列在一起，認為是長生不老的妙藥。其味酸甜，能生津潤腸清虛火，老年人如果能每日裡吃幾顆，可是比其他的水果強得多。即使沒有新鮮的果實，把桑葚曬乾或泡酒，也能保持功效。桑葚性味甘寒，能入肝、腎兩經，所以有很好的固精作用。

百鳥喧囂花似錦，空屋靜坐也修心

以前有個老和尚，在山上閉關多年，大家都覺得他是位得道的高僧，就請他下山來給大家講法。老和尚下山後備受追捧，時間長了心中就生出歡喜來，覺得自己佛法獨步當世了。有一天，他的一個同為和尚的朋友來看他，對他說：「現在有一位赫赫有名的大師，經常在繁華的地方給人講經說法，一方面覺得自己已經悟道，足以度人；一方面又覺得這樣很煩累。」老和尚聽了說：「這樣哪裡是悟道啊，他的心裡已經被俗事攪擾了，一點都不清靜了。」接著又問道：「不知您說的是哪位高僧啊？」他的朋友笑笑說：「就是你啊。」

佛教說「外不著相，內不動心」，尤其對我們普通人來說，要想制心就先要制身。那制心跟入夏的養生又有什麼關係呢？夏季炎熱，升騰的陽氣易使人煩躁，這時心神就不能把持自己的行路。有一個詞叫「魂不守舍」，神也是如此，中醫認為神是人體生命活動的主宰，既包括生理方面的，又包括心理方面的。如果神的活動正常，我們的氣血津液就流暢，情志也舒暢。如果神衰弱了，人就懶惰乏悶；如果神躁動了，人體功能就逆亂，氣血會妄行，情志會亢奮。

夏季本身就燥熱，加上外面繁花似錦、鳥語聲喧，更容易讓人心神蕩漾。所以在還沒有到立夏的時候，我們就先要把持住心神，讓它不易動搖，這樣即使夏至了，哪怕到了三伏天，也能夠心靜自然涼。

當我們在外面散過步、曬過太陽後，就該回到屋子裡「守神」了。尤其是下午四點鐘左右的時候，在屋子裡不要被太多思慮攪擾，安靜地坐一會兒，或做點簡單的家務，盡量不去勞心。這樣能夠在氣平神靜的情況下吃晚飯。這時神慢慢地向內收斂，再過幾個小時就能夠安然入睡了。

說到修心守神，古人有句話：「就寢即滅燈，目不外眩，則神守其舍。」晚間陽氣入內，陰氣浮外，就好像太陽西落、月亮東升一樣。但是現在的城市到了夜晚，一般也是燈火通明的，即使房間關了燈，如果身居鬧市，屋子裡還是很亮。這種光就不是自然光了，會擾亂我們的心神。

心神的動靜行止也是按照一個規律進行的，中醫認為神由心住，心就像是神的家，《素問》中說：「心者，君主之官也，神明出焉。」白天我們醒著的時候，神就在我們全身周遊，所以人神采奕奕，精力充沛。當夜晚的時候，我們的身體休息了，神也要回到它自己的家裡，在心裡面休息，等待第二天重新工作。

如果我們的神到了夜晚還不能回心，那會怎麼樣？人就會失眠。而神又能駕馭我們的氣血津液的運行，所以神不休息，我們身體其他的機能也就都別想休息了。

《雲笈七簽》曰：「夜寢燃燈，令人心神不安。」光亮會引誘心神外出，因此晚上睡覺最好關燈，臨街的屋子要用厚一點的窗簾。還有一些朋友睡覺時喜歡有些光亮，那樣可以買個小夜燈，一點點微光，對人體不會有太多的刺激。

離卦——夏至：防治冬病的好時節

離卦（☲）包括三個節氣：夏至、小暑、大暑。

「至」有「極」的意思，夏至這天陽光幾乎直射北回歸線上空，是北半球白晝最長、黑夜最短的一天。這時天之陽最為強盛，萬物也向最旺盛的頂點衝刺。過了夏至，太陽逐漸向南移動，北半球白晝一天比一天短，天之陽也就開始減少了。

《易緯．通卦驗》上說：「夏至，暴風至，暑且濕……大暑，半夏生。」這裡提示我們一個問題，夏至雖然熱，但裡面卻有濕的氣候特徵。這是為什麼呢？我們來看離卦，離上下為兩陽爻，中間是一陰爻，象徵陽中有陰、暑必挾濕之象。所以夏至雖然天之陽達到最盛，但是在地則有暑濕。

夏天時越熱、空氣中濕度越大的時候，人也就越感覺頭昏腦漲、胸悶困倦，沒有精神，這就是暑濕傷人的現象。

補腎助肺三伏天，慎補六味敷背安

仲夏之月，萬物以成，天地化生，勿以極熱，勿大汗，勿曝露星宿，皆成惡疾。忌冒西北之風，邪氣犯人。勿殺生命。是月，肝臟已病，神氣不行，火氣漸壯，水力衰弱，宜補腎助肺，調理胃氣，以順其時。卦值姤，姤者，遇也，以陰遇陽，以柔遇剛之象也。生氣在辰，宜坐臥向東南方。

——《遵生八箋》

仲夏也就是農曆五月，夏至一般在此前後。夏至，金胎水死。腎為水，肺為金。水和金一個在冬，一個在秋。所以根據《素問》中「春夏養陽」之原則，除了要注意當季的心以外，還要注意養秋冬的臟器。

《巧對錄》中有這樣一個故事：一位醫生很擅長對對子，有一次一戶富貴人家的主人請他去看病。醫生到的時候正趕上這富人在做衣裳，桌面上擺放著整匹的綢緞。富人想試探試探這位大夫，就指著綢緞說：「一匹天青緞。」大夫脫口而出：「六味地黃丸。」大夫的「才思」也算敏捷，我們也能從側面看出，在古時候，六味地黃丸這個藥就已經深入人心了。

現代人一提到補腎，首先想到的都是這個藥，再加上很多藥廠鋪天蓋地的廣告，把它做得好像是一年三百六十五天天天都能吃的補益品。老話說得好，「是藥三分毒」，什麼藥都是為了治病的，過猶不及，吃多了不但沒有好的作用，還會吃出許多毛病來。還有一些藥，比如逍遙丸，廣告上宣傳得也好像是女性滋補的佳品，其實逍遙丸是疏肝理氣、健脾調經的好藥，治療女性病只是其中的一個功效而已。藥名的「逍遙」就有可以化解肝氣不舒的意思，吃了這個藥就不會鬱悶，情志就暢達了。所以，像六味地黃丸和逍遙丸之類的藥，千萬不能當成補藥來吃，更不能看成是日用的保健品。藥就是藥，補是養生的一個面向，慎補也是養生的一個面向。

春夏為陽升陽旺之季，其中又以三伏為最。三伏天指的是夏至過後第三、四個庚日及立秋後第一個庚日。庚日屬金，與肺相配，此時是溫煦肺陽、祛散寒氣的最佳時機。

現在很多人都有貼三伏貼的習慣。到了這三天，大家都擠到中醫院，患者之多，可謂盛況空前。地域不同，醫院不同，三伏貼的用藥跟穴位也會有所區別。一般是把調配好的藥敷貼在背部的肺俞、定喘等穴位，這可以強健肺氣。盛夏人體腠理開泄透達，人體之陽氣得天陽相助，這時藥物容易透過穴位深達臟腑，故能疏通經絡，溫補肺、脾、腎。

哮喘的病人最適合這種方法了，如果能持續每年都到醫院敷貼藥物，效果是很理想的。哮和喘在中醫上是兩種病，但一般都關乎肺、脾、腎三臟，正好是這種方法的對應病。

夜來雖熱穿衣臥，綠豆勝冰消暑煩

人覺得熱了的時候，無非就是這麼幾種辦法：一是脫衣服，二是找個陰涼點兒的地方避暑，三是開個電扇空調之類的吹吹風，再有就是吃點冷飲之類的。

這些方法都有效果，但哪些是比較好的，哪些會有些害處呢？我們先來看看自然界中的動物都是怎麼避暑的。動物都有皮毛，但是它們只是在秋天才會換毛，夏天就算天氣再熱，也沒見誰家的小貓小狗把自己弄得只剩下光板沒毛一張皮的。這說明大部分的哺乳動物是不把皮膚直接暴露在外面而達到降溫效果的。人的汗毛早已沒有保暖作用了，所以靠加減衣服來適應溫度的變化。動物不能褪毛，但人卻可以脫衣服。盛夏時，有些男性即使在外面也裸露上身，這不但不雅，還容易生出許多病來。不止在外面，其實為了健康，在家的時候也不要把前胸後背赤裸出來，尤其是夜晚的時候，最忌赤身在開風扇或空調的房間裡睡覺。

一年四季都有風邪傷人。《黃帝內經》中就有八風之說，其中風從南方來的，叫做大弱風。它內可侵入心臟，外可侵入血脈，被它傷害，會有犯熱性病的症狀。古人避風猶恐不及，現代人睡覺時就更不能袒胸冒風而睡了，受熱張開的毛孔很容易竄入風邪。風跟別的病邪還不同，風入人體後，很難疏泄掉，既不能通過大小便排出體外，又不能自己再從毛孔竄出去。風性善行而數變，內可入臟腑經脈，外可停滯在皮膚之間。夏季之風易為心風，如果受到這種風邪的侵擾，會有多汗、惡風、內熱不通、大喜大怒、面赤舌紅、疼痛不安等症狀，在夏天的時候可要特別留神。

為了消暑，除了物理的方法，還有別的解內熱的方法嗎？民間的方法往往是最有智慧的。中國人在夏天的時候喜歡喝傳承了成百上千年的綠豆粥，那就是一劑消暑的好方。

綠豆性甘寒，能入心經和胃經。夏天體熱小便黃赤的時候，喝起來效果最好。很多人不知道煮綠豆的時候要不要把豆衣去掉，其實綠豆衣也是一味中藥，藥效跟綠豆一樣，只是稍弱而已。所以作為一般清熱消暑之品的話，不用特意將豆衣去掉。喜歡吃甜的人還可以加些蜂蜜，對熱毒的癰腫也有很好的效果。

但綠豆畢竟是寒性的，體質虛弱的人不宜多食。久服會把體內的虛寒坐實，這樣以後就更不容易調理了。

有言宣泄多傾吐，心腦不禁大喜悲

陽，在天為日，在地為火。夏至時天之陽就已經到達頂點了，這時人的精神活動受到陽氣的鼓動，所以容易煩躁，容易發火。在春天的時候，大家調養情志時盡量平和，但夏天時就不能只靠平和來壓抑心火了。

夏至的火已經盛大，就像山火一樣，當還只是星星之火時，還有可能撲滅，但如果已經成燎原之勢，就很難撲滅了。這時我們的方法就是宣泄。我們可以適量地把心中的火氣釋放出來，讓內外的陽氣能夠交通。

跟家裡人、跟親戚朋友多聊聊天，做一些運動也可以把身體中過剩的能量釋放出去。吃飯時盡量不要吃上火的東西，像羊肉、狗肉這樣的食物就要少吃了。

如果家裡有老人的話，這時還要注意家裡要保持通風，尤其東南地區濕熱嚴重，這種天氣很容易醞釀心火，再沒有適當的自然風能促使空氣流動的話，就會使老人感到心裡煩熱、憋悶。

夏季是心臟病、心腦血管疾病、高血壓等的高發季節，人的情緒波動大的話，我們的血管可是受不了的。所以夏天更要注意，不要大喜過望，也不要大悲傷心，要保養好我們的心氣。

坤卦——立秋：安逸寧靜養脾胃

坤卦（☷）包括三個節氣：立秋、處暑、白露。

立秋是秋天的開始，從這天起，氣溫應該逐漸下降。但是事實上，進入立秋後，天氣還是很熱的，不但南方，就是北方地區也沒有黃葉飄零的感覺，只是晝夜溫差拉大而已。這從下一個節氣「處暑」中也可以看出來。「處」有止息的意思，就是說暑熱的天氣結束了。前面說三伏中的第三伏也是在立秋之後，這也說明了立秋後其實還有一段高溫的延續。

木床厚褥穿軟襪，早臥早起待雞鳴

立秋過後，天雖炎熱，但已經是陽降陰生之季了。年輕人對這季可能不是很有感覺，但年老體虛的人則要開始在早晚頻繁地加減衣服了。骨瘦體弱的老年人在立秋尤其是處暑以後，就不應再用涼席等物了，一方面這些東西寒涼之性大，另一方面老人容易覺得硬床觸痛筋骨，影響睡眠品質。老人要想睡得安穩，被褥就要厚軟，所以從這時開始，可以加一層薄褥，一年四季老人的被褥都要漸加漸減，不能嫌麻煩。

現在很多人都喜歡睡席夢思，彈性好，感覺也很軟。但是這種軟跟棉褥的那種軟可是兩回事。早前就有很多報導說，睡彈簧墊之類的容易對筋骨造成不好的影響。老年人跟小孩子就更應該盡量睡木床，嫌硬的話就鋪厚一點的墊被，這樣又暖和又養骨。

這時除了要適當地加墊被外，體弱虛寒的人還要注意，不能再光腳或穿絲襪了，而應穿上布質或棉質的襪子。中醫認為，水性就下，火性趨上，表現在人體就是腳怕凍、頭怕熱。以前人們認為即使盛夏穿襪也是應該的。現在夏天一般都穿絲襪，但是到了秋天，一部分人最好穿軟的、舒適的薄棉襪，這樣可以提前護持我們的陽氣。須知這時陰開始復生，地氣雖熱，但天氣已轉性。

為了養氣，到了秋天要早睡早起。秋主收斂，在這個時候就不能像在夏季一樣，讓大家把心火宣泄出來。一般秋天的時候，大家都開始囤積一些留著冬天用的東西。動物也都是該藏食物藏食物、該蓄積脂肪蓄積脂肪，道理是一樣的。養生要積攢的不是脂肪，現在生活條件好了，我們也不用儲存那麼多食物。所以回歸初始，我們要積攢的是過冬的氣，是能抵禦寒冷的陽氣，能抗病的正氣。早睡就是為了收氣，將陽蘊於體內。

《黃帝內經》上說：「早睡早起，與雞俱興。」古代人計時設備匱乏，尤其是農民和平常百姓家，都以雞來看時間，雞叫就是要起來幹活了。所以《黃帝內經》上也是告訴我們說，要跟雞一同起來，牠叫了，我們就該醒了。但是肺氣在寅時最旺，秋燥又傷肺，所以建議大家還是不要過早起來，老年人睡得少的，也盡量在五、六點再起床，以便保養秋季的肺氣。

量腹食瓜防不化，多進甘滑脾益佳

「秋收冬藏」，秋天是收穫的季節，各色瓜果這個時候多半都上市了。而且這時的水果都當季，味道比人為催熟的好得多，價格上又便宜，所以這個時候大家也就吃比較多水果。但瓜果都是生冷之物，有的人說，這個季節的水果也不涼啊，有些買回家還要用涼水泡一下才吃。但在傳統觀念中，生食都含涼性，不宜多吃。

胃喜暖，胃暖了才能腐熟食物，如果胃吃了太多生食，就會凝住，這樣胃就容易受傷，胃傷了，脾的運化也會受到影響。中醫五行歸類裡在夏和秋之間有個長夏，屬土，對應臟腑為脾胃。其實長夏也就相當於這個時間段。由此也可見中醫與《周易》的關聯。

立秋以後，秋分之前，外暑陽仍熾，內微陰漸生，這時最宜調節脾胃。所以要提醒大家的就是，這個時期少食生冷食物，尤其是瓜果，一是要衛生，二是要適量。那這個量究竟是多少呢？就是「量腹」。每個人的情況不同，體壯年輕的多吃點可能沒事，但是老幼體虛的人，不能貪嘴。

那要保養脾胃應該吃些什麼呢？秋為金，金主燥，燥表現在人體就是毛髮枯焦、皮膚乾澀、大便祕結、喉乾易咳等。為了避免出現這些情況，就要吃些甘滑的食物。「甘之以悅脾性，滑之以舒脾陽。」木酸、火苦、肺辛、腎鹹、脾甘，吃點甜的對脾很有好處。

我們希望自己的皮膚、頭髮都是順滑的，尤其年輕小姐，更是用一些護髮素啊、身體乳液啊什麼的，但這些可都是治標不治本的。想想我們身體裡的津液都枯竭了，被燥邪傷害了，怎麼還可能顯出水潤的樣子呢？還有些老人，一到秋季，便祕就特別嚴重，很多運動少、挑食的女孩子也都有這個毛病，這都是身體津液被煎著的表現。所以這時我們要吃能讓腸胃、讓身體髮膚變「滑」的東西。

古人潤滑的辦法是「食麻」。麻在古代特指大麻，中藥中有一味火麻仁，就有很好的潤腸通便作用。但是如果燥的情況不是特別嚴重，也不用特意去藥店買這味中藥，日常生活中就有很多東西可以代替，比如乾果中的松子就很好。把松子去皮打碎，熬一碗松仁粥，又香濃又潤腸胃，還能生發脾陽。松子最好選那些白色飽滿的，發黃有油味的就不好了。

世態炎涼皆看透，思慮半點不縈懷

去年我去講課的一個國學班，其中有一位四十多歲的女總經理，她說自己有時候會腹瀉，也不用吃藥，過幾天就好。她說話的時候雙眉緊鎖，據我平時的觀察，她是那種心思細膩的人，又好操勞，成天大小會議不斷，隔三差五地還要作作報告。我問她腹瀉有沒有什麼規律，她想了半天說：「沒有。」我又問：「那妳上次腹瀉前做了什麼？」她說：「吃的應該沒問題，我吃東西一直很注意，況且第二天還要去開個很重要的會，前一天晚上我都沒吃進去什麼。」聽她這麼說我心裡就有底了，然後又問：「那妳為開會做了什麼準備沒有？」「有啊，每次如果有重要的會議要開，我都很緊張，也不知道為什麼，都開了這麼多年的會了，還是這樣。我會準備要講的內容，有時要想到半夜才睡，晚上開始就腹瀉，過了第二天就好。」

我這個學生的情況其實在很多人身上都發生過，有些上學的學生在考試前會吃不下或腹瀉，有些人第二天要出去旅遊時，前一天晚上也會腹瀉。這種腹瀉時間不會太長，一兩天自己就好了。這究竟是為什麼呢？

我給我的學生開了個方子，告訴她：「我有一個辦法，不用吃一點藥，就能讓你痊癒。」她很驚訝，不太相信。我說：「妳這種腹瀉是脾的問題。不是說妳脾有毛病，而是妳的思慮太過，傷到了脾臟。脾在情志主思，就像我們說怒傷肝一樣，思則傷脾。這不是中醫隨便說說的，像妳這種情況的大有人在。如果妳能減少思慮，這種現象自然就好了。」

「那思慮怎麼能減少呢？」她還是很迷茫。「下次開會的時候，妳試試把材料準備好後就不要重複地再考慮，晚飯後過一個小時運動運動，該看電視看電視，跟家裡人聊聊天，總之盡量不要管它。妳覺得如果妳不多想幾遍，最壞的情況能是什麼？」「也沒有什麼吧！我平時思路很清晰的，在會上發言、作報告都很好。」「對呀，所以妳索性不管，妳試試看。」

再來上課的時候她很高興，一直說這太神奇了，怎麼這樣就好了呢？居然不用吃藥就可以治腹瀉。其實很多情況都可以靠我們情志進行調解，平時保養臟腑，調解心情，健康就不期而至了。

要想保證脾臟的健康，不止是要少思慮，還要注意在這個季節的保養，因為這是脾氣旺盛的時期，所以往往能收到事半功倍的效果。除了上面說的飲食和生活習慣的調解，還可以每天利用半小時按摩一下脾胃上的經穴。比如大橫穴，在臍旁四寸，臍旁四寸也就是乳頭與胸正中線的距離。在大橫和臍之間還有一個穴叫天樞，天樞是足陽明胃經上的穴。這樣左右一共就有四個穴位，是每天都可以按揉的，尤其對於平時易腹瀉、便祕的人，應該多按，還有在腹痛時也可指壓按摩。

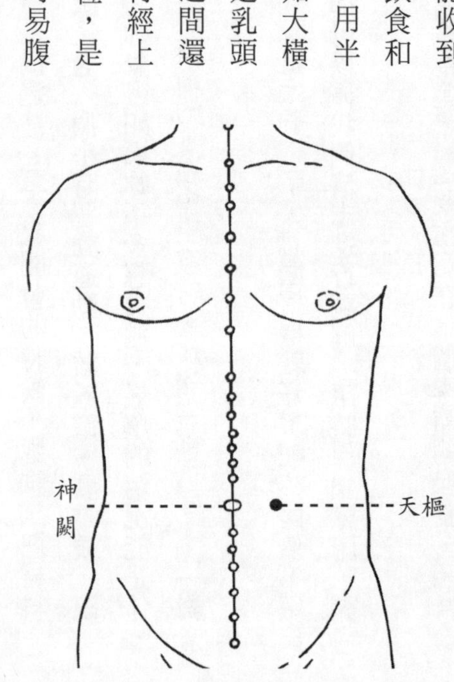

天樞穴等

兌卦——秋分：深秋防乾防咳嗽

兌卦（☱）包括三個節氣：秋分、寒露、霜降。

秋季共九十天，秋分就是平分秋季，這一天剛好是秋季九十天的一半，因而稱秋分。這時陽光直射赤道，晝夜幾乎相等。北半球的秋天一般從秋分才真正開始。《春秋繁露．陰陽出入上下篇》中說：「秋分者，陰陽相半也，故晝夜均而寒暑平。」這時的陰陽相半一是指它處於夏冬之間，二是說秋分這天晝夜平分，各十二小時。

秋燥之氣，輕則為燥，重則為寒，化氣為濕，復氣為火。重則為寒者，寒水為燥金之子也；化氣為濕者，土生金，濕土其母氣也。

——《溫病條辨．上焦篇．秋燥》

兌卦下兩爻為陽，最上面一爻為陰，說明這一卦既有燥陽又有寒濕。正像《溫病條辨》中所說，秋天的燥氣輕則為燥，還可根據當年氣候的不同，分別化成寒、濕、火等外邪。兌屬金，金生水，所以能化寒。土又能生金，濕土為金之母，所以又能摻雜著濕。

搓熱雙手熨眼目，健體輕身凍頭腦

到了秋分，大江南北就都能感覺到秋的氣息了。秋分金旺，金剋木，所以秋又為木死之季。這時要注意兩方面的保養。一是養肺，因為這時肺為當季之臟腑；二是養肝，因為肝氣極弱，必須保存這一點點種子，到了冬季，肝氣就能重新孕育，到春季生發。

到了秋天，我們都會覺得空氣裡的水分特別少，尤其是黃河以北的地區。不同人的狀況可能有差異，比如：有的人從這時開始，皮膚就易起皮屑、乾燥；有的人覺得嗓子乾，喉中好像有痰，吐又吐不出，咽又咽不下；還有的人眼睛特別乾，使勁一閉眼又覺得痠疼難忍……這些都是燥的表現。症狀雖然不一，但原理是相同的。

到了秋分，基本上天氣已轉涼，但還沒到不敢出門的程度，這是老年人強身健體的好季節。老人最好能學學太極拳之類活動筋骨的運動。不用打得很精準，只是這些動作中的開合比較大，從肉到筋到骨都能運動到。

身體不好的老人可以學學「甩手功」之類的，主要的目的就是讓肉跟筋都能得到鍛鍊。而且秋天的運動要稍微用點力，跟春天的健走還有所不同。秋天草木凋零，整個自然界的陽氣都在尋找歸息的地方，就等著冬天到來，蟄伏聚藏，所以人也容易沉靜，身體會變得沉硬。這樣一來，就必須人為地把筋骨肌肉拉開，提醒它們繼續健康地工作，因此適當的體育鍛鍊，尤其是讓人精神振奮、能增加人氣力的運動，更是應該常做。

從立秋開始，我就提醒老年人要開始注意保暖了，但這裡我卻說要「凍頭腦」，這不是自相矛盾嗎？其實不是的。頭為諸陽之會，陽氣都蒸騰於上，而且人身最高點是頭頂，也最接近太陽，所以頭可以說是人體最禁得起凍的部位了。我們要暖腳，同時也要適當地凍頭。「腦為髓之海」，是元神的寄居地，如果腦不清明了，那我們的精神就會被攪擾，而涼爽的溫度有利於我們保持清醒。再者，先適應寒冷的天氣才能培養耐寒的體質，在秋天我們不妨凍凍頭，給身體一個緩衝。

防眼睛乾燥的小妙方

前面教過大家，春季的時候把手搓熱敷臉，這裡再教大家一個防燥傷眼的小方法。將兩手搓熱，然後手掌整個敷壓在眼睛上。手上的溫度可以促進眼周的血液循環，微微的壓力可以促進視距的回檔。這個方法對三種人特別有效，一是老人，二是久用電腦的上班族，三是學生。人到老年氣血虛，精血不能向上濡養雙目。電腦族跟學生都大量用眼，「久視傷血」，這類人肝血必然受到損害。我們說「眼睛是靈魂之窗」，當把眼睛閉上時，也就暫時斷絕了與外界的聯繫，再以溫熱的壓力促進血的運行，這樣就能達到行血養眼的目的。怕眼周會長細小皺紋的女性，也可以使用這個小方法。尤其在洗完臉、塗了眼霜之類的保養品後，能促進對營養物質的吸收。

肺怕傷津多飲水，痰咳虛熱梨子粥

炎熱的夏季，心火已經亢盛到頂點，所以必須有秋的肅殺、收斂來對其加以制約。秋為陽中之陰，這時既有陰有陽，又怕陰陽有一方偏盛，跟人的肺臟特點相同。「肺為嬌臟」，它嬌貴之處就在於：冷也不行熱也不行，燥也不行濕也不行。就像恆溫動物，總要在一個固定的點上，它才能運行正常。

秋天乾燥的空氣對肺是個不小的挑戰。肺的作用之一就是：把脾運輸來的津液中輕清的部分向外、向上輸送，把混濁的部分向內、向下輸送，如果肺不能促使皮膚排出汗液，就容易導致水腫，或皮膚乾燥、脫皮。對付這種情況，最好、最經濟的辦法就是多喝水。因為體內的津液在秋天容易被燥煉掉，所以補充水分是最根本的方法，水源充足才能保證肺的正常運動，否則「巧婦難為無米之炊」。

秋天風大，尤其北方一些城市，常感覺沙石漫天，好像空氣裡一點水分都沒有。同時也覺得嗓子好像被風沙吹乾了一樣，或者有痰停在氣管裡，憋悶得很。有一個很簡單的方法可以解決這個問題。

很多家庭都會吃冰糖蒸梨，又甜潤又治病。一般把梨攔腰切開，去核，內部的梨肉稍微弄碎，放進去一些冰糖或蜂蜜，把上半部的梨蓋上，然後蒸熟就可以了。可能有的人還會覺得這樣有些麻煩，再簡單點，可以把梨削成小塊，放到電鍋裡，加點水和少量的冰糖或蜂蜜，跟煮粥似的煮一下就可以了。

要提醒大家的是，不要去皮。如果虛熱咳嗽的症狀很嚴重，還可以在裡面加幾粒川貝母，但不要用得過多。

有人說：「我也經常吃梨啊，為什麼還是會肺燥咳嗽呢？」梨味其實是甘、酸的，其性為寒，吃多了還容易損傷脾胃呢。所以古醫書說梨「生者清六腑之熱，熟者滋五腑之陰」。無論蒸煮，每次都不要吃得太多，最好一天兩次。早上也可以把梨切片，加粳米煮成粥，當早飯吃。

金主肅殺思振奮，秋雖寂寥勝春朝

「秋三月，此謂容平。」秋天是萬物成熟、容受平定寧靜的季節。「收斂神氣，使秋氣平，無外其志，使肺氣清，此秋氣之應，養收之道也。」這時要收斂我們的精氣神，減少秋季的殺氣，使其平息，不要一直外馳，要讓肺氣清靜。這就是保養收斂秋氣之道。

秋天是收穫的季節，中秋節也在秋季，一般家裡人都聚在一起吃水果、月餅，賞月。但是秋天給人的感覺卻跟這種豐收的喜悅大不相同。到了秋天，人們看到草木凋零，感覺冷冷清清，陽氣在做回藏前的最後掙扎，陰氣漸漸充盈於天地之間。

古時候為了避開農時，多在秋天開始結兵打仗，打仗就要兵戈相見，就要死人，而蕭瑟的秋風又容易讓人心情不好。有首很有名的宋詞，開頭兩句就是「何處合成愁，離人心上秋」。什麼是愁？就是心上加個秋。秋瑾也說「秋風秋雨愁煞人」。可見古人悲秋不是沒有原因的。

在秋季，尤其是深秋，怎樣調養我們的精神，不使它受到這種陽收陰長的影響呢？那就要安寧。思維要趨於平靜，不要張揚，這樣就符合秋天陰陽消長的特徵了。還有，讓精神平靜不等於低迷，我們不能讓生氣隨秋天泄掉，還是要保持樂觀的心態，別到了秋天就跟古人似的悲起秋來。秋高氣爽，積極振奮的心態可以讓我們的身體也覺得輕鬆起來，過一個開心的秋季，人也會覺得年輕的。

乾卦——立冬：養骨溫陽初冬始

乾卦（☰）包括三個節氣：立冬、小雪、大雪。

習慣上，我國人民把這一天當作冬季的開始。《孝經緯》上說：「霜降後十五日，斗指乾，為立冬。冬者，終也，萬物皆收藏也。」冬是指一年的田間勞作結束了，作物收割之後要收藏起來的意思。立冬一過，黃河中下游地區就要結冰了。

冬季叩腳最養骨，早臥晚起待日光

腎主冬，主骨生髓，在冬季要注意腎臟和相應功能的保養。按周易八卦來看，其實在立冬到冬至之間，還是屬於秋冬之間的。乾卦也屬金，而不是水，說明還沒到深冬，冬至才是腎氣最旺的時候。但老話講「未雨綢繆」，所以要想保養某個臟腑和身體的某種功能，就要提前著手，最好不要等亡羊了再補牢。

一入冬就要注意骨的保養。尤其對老年人，骨簡直太重要了。老年人的骨關係到晚年生活的品質。骨健就能支撐整個身體的重量，能行動，不易骨折受傷，也不會成「駝背奶奶」、「駝背爺爺」。

要保證骨的健康，就首先要保證腎的健康。火性炎上，水性就下，我們也都知道「水往低處流」的道理，所以人體的腳便顯得非常重要。我們的腳底只有一個穴位——湧泉，腳心有個人字溝，它就在腳掌前三分之一人字溝的交點上。

這是腎經的第一個穴位，也就是腎經的「根」。什麼是根？根就是根本、開始，是腎氣的起始。這類穴也叫「井」，我們看到井就會想到是出水的地方，也就是源頭，是精氣的源泉。而腎經的起穴又叫「湧泉」，就是讓精氣源源不斷，噴湧而出。此處也接地氣，只有它直接貼在地面上，大多時間都與地氣相接，因此我們才總是強調腳要保暖。

立冬後，每天晚上用熱水泡過腳，就用兩手大拇指在這個穴位上按揉。腳掌皮層一般比較厚，老年人多體虛乏力，力道不容易滲透，這時做子女的最好能幫幫忙，一邊陪父母聊聊天，一邊幫父母按按湧泉穴。丈夫、妻子也不妨互相幫幫忙，今天你累了我幫你按按，明天我累了你幫我按按。如果沒人幫忙也不要緊，自己慢慢按，邊看電視邊做，既不耽誤事兒又能保健。

按完湧泉後，用兩手手掌搓雙足內側面，也就是腳大拇指側面這邊。這上面可是有很多重要的穴位，腎經、脾經都從這裡經過。搓到溫熱就行了，如果能再按按這裡就更好了。

這些好用的小方法，我告訴過很多朋友，有一次我問一個人，按我說的做了沒有，他說：「你說完我就想做啦，但過幾天才是立冬呢，我好不容易才忍住。」我聽了之後不由得大笑。不光是節氣養生，其實其他的養生方法大多沒有那麼拘泥的，非要幾時幾刻做什麼。錯開一點也不行的方法不是沒有，但太少太少了。對於保健，要掌握陰陽的大規律，《周易》告訴我們的也無非就是陰陽，其他的都是從這兩個範疇派生出來的，是人為的細分，所以把握總則，然後適時而行就可以了。

說什麼節氣做什麼，也是指大概的情況，北方和南方氣候相差那麼大，也不可能都統一啊，所以，養生不要刻板。像按揉湧泉穴，要是能一年三百六十五天都做，那還更好呢！

在秋季的時候要早臥早起，按古代的計時法就是：早也不要早於雞叫前起。到了冬天就還要晚一點，一般要等太陽出來了才起。這時候開始見陽氣，年老體虛的人不易被陰氣所傷，使人體之陽接於自然之陽。但很多上學的、上班的人都是天不亮就得爬起來，這也是沒有辦法的事，有條件的人就盡量多睡一會兒。當然，多睡可不是要太陽曬脊背了才起，那樣陽氣不得生發，所以才會有越睡越不清醒、越睡越累的體會。

固氣少酌山藥酒，性防積冷定需薑

山藥本來叫薯蕷，因為唐代宗名叫李豫，為了避諱，只能改名。到了宋朝，宋英宗又叫趙曙，為了避曙字的音，它最後就改成叫「山藥」了。

山藥是平補的藥物，它的作用很和緩，能入脾、肺、腎三經，不但滋陰補氣時用它，脾胃虛弱的時候也可以食用。愛喝酒的人可以到藥房買些處理過的山藥來泡酒，如果腎虛嚴重的話，還可以連帶山茱萸和熟地黃一同泡，每天喝上兩盅，對固腎氣、養陰津很有好處。不過要注意，酒不可過量，別以為是藥酒就可以隨便喝；還有，山藥酒不用全年都飲用，跟前面講的按摩湧泉穴不一樣，一般喝到立春就可以停了。

喜愛《紅樓夢》的朋友肯定對大觀園裡吃螃蟹的那段故事記憶深刻。薛寶釵作了一首螃蟹詩，其中有一句是「性防積冷定須薑」。古人在吃螃蟹時都要配上薑，因為螃蟹性寒，要吃點薑把寒氣化開。

有句俗話叫「男子不可百日無薑」，薑是溫陽的聖品，不但男性，對女性也一樣重要。到了冬天，無論外面天氣多冷，可能凍到我們的皮毛，但千萬不要凍傷我們的臟腑。這時不妨在做菜的時候加些薑，對家裡人都有好處，女性多吃些薑還不容易生老年斑。

薑喜歡長在溫暖、濕度適宜的環境中，陽光要溫煦，又不可太燥烈。在這種環境中生長的植物，上不失陽，下不失陰，得陽又非大剛大烈之曝陽，得陰又非寒凍霜淩之至陰，其溫陽的作用必然強盛，又不會大傷陰津。不單單是吃，用它洗頭、洗腳都如小藥。

但薑也不是什麼人都適合吃的。宋朝奸臣秦檜一直想通過拉攏權臣來控制朝廷。一次，他寫帖請大臣宴敦，宴敦早就知道席無好席、宴無好宴，不僅謝絕赴宴，還叫使者帶口信給秦檜，說：「薑桂之性，到老愈辣。」民間所謂的「薑還是老的辣」跟這個故事如出一轍。薑畢竟是辛辣之物，老薑更勝新薑，所以體虛寒盛的人宜食，陰不足、陽偏亢的人就不宜多吃了。

身要息止心要靜，無怨無懼百病消

《陰符經》說：「自然之道靜，故天地萬物生。」氣功裡也有一門「龜息功」。練功時只需靜坐潛心，然後按功法運氣修煉即可。為什麼要像烏龜那樣呢？因為龜是好靜而長壽的，它最懂得息止對於生命的意義。

到了閉藏的冬天，就如同土地一樣，人的身體也要休息休息了。我們說早臥晚起，說保精養氣，其實都是給身體一個環境，讓它能歇過來，等來年春天再跟萬物一同復甦。這時我們的神、我們的心也要休息。心神要靜，靜不是完全的不動，出家人尚不能完全做到，我們也就不必這樣做。所謂的靜、止是說，我們的思慮不要太雜、不要太多。

冬屬水，在情志主恐。對於老年人來說，恐的是什麼呢？常聽到很多年紀大的人說「不知道今年還能不能過去」、「真是老太太過年，一年不如一年」。對生命的渴望和時間的不可逆轉性，往往讓人心生惶恐。但再想想，這世界上可不是每個人都能活到七八十歲的，我們能活到這個歲數，每天吃飽了，還能出來聊聊天、曬曬太陽，跟朋友打打小牌，享享天倫之樂，不是應該慶幸、應該感激的嗎？這樣一想，還有什麼可怕的，還有什麼可愁的呢？我們要做的就是把身體養好，每天快快樂樂地生活。

坎卦——冬至：最宜護陽養氣血

坎卦（☵）包括三個節氣：冬至、小寒、大寒。

冬至這一天，北半球白晝最短、黑夜最長。古人對冬至的說法是：陰極之至，陽氣始生。冬至以後，北半球的白天就逐漸長了。

「冬至日陽氣歸內。」正如坎卦所示，這時雖然氣溫最低，但中間已有一點陽氣開始凝聚。冬至，水旺，我們的腎陽已經達到頂點。就像夏至的離卦中有一陰一樣，我們須知天氣與地氣其實是不同時的，所以在天之陽高的時候，氣溫都會很高，但地氣卻會有殘餘的陰氣。

年高少浴不早出，大熱生汗恐春傷

現代人都很注重個人衛生，而且生活條件也好了，數九寒天的時候也大江南北各顯神通，或暖氣或空調或小太陽，把室溫弄得高高的。這時大家都覺得，跟夏天一樣洗個熱水澡對身體沒什麼，反正屋子裡不冷，又不會感冒。

其實在冬天即使室內溫度再高，老年人也不宜洗澡洗得太多。現在的人冬天也能享受到的溫暖，是跟自然界規律相悖的。天地有四時，陰陽有消長，人在冬天，身體也應處在閉合的狀態。說得通俗點，洗澡的時候腠理毛竅是開著的，體內的陽氣容易散掉。在夏季，外面也充滿陽氣，這樣人與自然的氣息交流置換，以陽易陽，符合自然規律。但冬季即使人為地把室溫升高了，天地間還是陰盛陽衰，老年人體弱，陽氣本來就衰微，所以以養、以保為要，適當減少洗澡的次數是必要的，這也不代表就是不衛生，比起古人「一生三浴」，我們的衛生情況可是好得太多了。

早上外面有霧氣或能見度低時，盡量等霧散了，粉塵沉澱了再出去。冬季早上的溫度又很低，起床尚要遲一些，晨練什麼的就更要推遲點，等天地陽氣漸充時，我們出去就不容易生病了。

冬主收藏，大汗傷津，所以盡量不要讓自己出太多的汗。有些朋友覺得汗是體內沒用的水分，出出汗能把身體裡一些有害的物質排出來。汗液確實會帶出毒素，很多中藥都是靠發汗達到治病目的的。《靈樞》中說：「腠理發泄，汗出溱溱，是謂津。」它有溫養肌肉、皮膚的作用。因為汗是走皮膚的，所以它為陽；而津液中的「液」走的是骨，是腦髓，所以為陰。這樣我們就可以理解大汗傷陽的原因了。冬天我們養身體裡的本真，等到春天的時候，就像有了萌生的種子，如果冬季時常大汗，就會使陽氣輕浮，體內無根，到了春天就會生溫病。

男子保精枸杞膏，女養氣血大棗湯

古語說：「去家千里，不食枸杞。」為什麼離開家遠的時候不吃枸杞？難道它不好？恰恰相反，不食就是因為它養精固陽的作用太好了，男子陽精太壯又不在家中，豈不容易亂性？所以古人說了這既智慧又有趣的話。

枸杞能入肝腎兩經，是補虛的聖藥，因為是平補，藥效比較緩和，所以平時吃一些或加在食物中也沒問題。上了歲數的人或本身肝腎不足的，平時愛腰痠頭暈、視力下降、男子遺精，都可以吃一些。民間盛傳枸杞膏，比我們一般生吃藥效要好，大家不妨試試。

把枸杞子用水洗淨，搗爛，加點水用慢火熬煮。熬的時候多攪一攪，不要熬到燒糊黏底。要熬得稠一點，晾涼後裝在密閉性好的容器裡，每天早晚吃上一匙，吃到立春即停，古人說能「輕身壯氣，耳目聰明，鬚髮烏黑」。

枸杞也是滋陰補精的常用藥，酸甜，口感很好，還能抗衰老、提高免疫力。但也不是所有人都適宜長期服用，比如低血糖的人就不要天天吃枸杞膏了。

女子賴血而生，血為體之陰，正符女陰之性。大棗在中藥裡其實首用於補氣，並兼有養血的作用。傳說古時候宮裡有位娘娘，派了親信去找駐顏益壽的方子。這親信有一天走到了一個破舊的村子，實在口渴，就敲了一家的門，想要口水喝。給他端水的婦人雙手粗糙得很，看這雙手的粗糙程度，此人足有五十多歲，但看臉緊實光澤，身體硬實，氣力頗好，也就三十歲上下，於是他好奇地問婦人多大年紀，婦人說已經五十歲了。這親信大驚，問她吃了什麼好東西才保持不老的。婦人苦笑著說：「還好東西呢，一天到晚都吃不飽。有時就靠幾個棗子頂著。」原來老婦人家著實窮得很，糧食不夠吃，每年秋天就把家裡幾棵棗樹的棗子曬乾，放在大缸裡，冬天糧食不夠了就吃棗充饑。幾十年下來，雖然年紀漸增，卻體力、氣血一如青年。

我們很多人都像這位娘娘一樣，費盡心思想找些偏方祕法延年長生，但真正有效的其實就那麼簡單，古就有「上有仙人不知老，渴飲禮泉饑食棗」之說，可見，大棗真是溫補的好東西。

棗最好是色紅肉厚的，吃起來香甜黏軟，但用來養生，每次不能多吃。每天生吃幾顆，或放在粥飯裡都可。那為什麼不為女性介紹一些直接補血的東西，而是這補氣兼補血的大棗呢？血就像是江河裡的水，流動起來才能保持裡面的生態平衡、乾淨清澈，這就是所謂的「流水不腐」的道理。血在我們的血管裡也是要不停流動的，如果流得慢了，裡面有害的東西就容易堆積在血管壁上，久而久之，血管就像堆滿淤泥的河床，那怎麼能讓血正常地流動呢？中醫講「氣為血之帥，血為氣之母」。氣是血液生成和運動的動力，血又是氣的載體和化生的基礎，所以在冬天萬物運行都放慢腳步的情況下，我們身體的運行也是緩慢的，這時不但要養血，更要養氣，推動我們體內運動的原動力。所以，女性在冬季每天都能吃幾個大紅棗的話，就再好不過了。

不拘不縱溫和性，水火相交迎初陽

冬至是一年中陰到盡頭、陽開始復生的時候。如果用十二消息卦來劃分節氣的話，則此時是復卦，也就是一個陽爻五個陰爻的一陽來復。為了迎接陽氣的到來，這時我們的精神要處於一種休息、靜養的狀態。

為什麼我們說這時要水火相交呢？冬屬坎，坎為水，水為腎所主，好像跟火沒什麼關係。《周易》中有一卦「水火既濟」，既濟就是已經過河了。這卦上為坎、下為離，水在上，火在下。如果按照我們慣常理解的來看，水性是就下的，火性是炎上的，好像倒錯了，應該是個不太吉利的卦。但正因為水在上，才能向下流，澆滅心火。所以，水和火交織在一起時，心火就不會過於亢盛，而腎水也不會過於凝聚。

養精神其實養的就是一種平衡的狀態，如果心腎不交，就會出現失眠、心悸、健忘、遺精等症狀，所以要掌握好水與火的關係。冬季要溫和，既不對情志過分地拘控，也不要放縱。比如說還可以如常跟朋友家人出去吃吃飯，小酌一番，但是不要喝得大醉；晚上可以出去娛樂一下，但不能直到筋疲力盡才回家……凡事有度，像醉酒、透支型的娛樂都是傷身的，全年都應該避免，只是在冬季尤其如此，在冬季不注意這些方面，受到的傷害更大。

十五日得一氣，於四時之中，一時有六氣，四六名為二十四氣也。然氣候亦有應至而不至，或有未應至而至者，或有至而太過者，皆成病氣也。

但天地動靜，陰陽鼓擊者，各正一氣耳。是以彼春之暖，為夏之暑；彼秋之忿，為冬之怒。是故冬至之後，一陽爻升，一陰爻降也。夏至之後，一陽氣下，一陰氣上也。斯則冬夏二至，陰陽合也；春秋二分，陰陽離也。陰陽交易，人變病焉。此君子春夏養陽，秋冬養陰，順天地之剛柔也。

小人觸冒，必嬰暴疹。須知毒烈之氣，留在何經，而發何病，詳而取之。是以春傷於風，夏必飧泄；夏傷於暑，秋必病瘧；秋傷於濕，冬必咳嗽；冬傷於寒，春必病溫。此必然之道，可不審明之。

——《傷寒論》

春夏養陽，秋冬養陰

如果一個人是陽性的體質，在秋冬就要去扶助陰氣；如果是偏陰的體質，在春夏就要扶助陽氣。

節氣遲速，注意病氣

如果到了一個節氣，而遲遲沒出現對應的天氣現象，或還沒到那個節氣，所屬的現象就早早出現了，比如霜降後氣溫還是很高，遲遲沒有霜降出現，這就是反常的季節。該熱不熱、該涼不涼，人體很容易被逆亂的氣候所傷，所以要注意。

前季不適，後季甚之

如果春天做了不利養生的事，或覺得身體不舒服，就要注意夏季的保養，因為很多疾病在當季只是埋下種子，真正發病是在後面一個季節。

第四章

《易經》八卦的臟腑養生

《易經》本身沒有提到五臟六腑，但是《易傳》中已提到八卦和五官四肢的關係，而後世在這個基礎上逐漸形成這一套藏象系統。

藏象是中醫理論的核心，是中醫對人體生命功能結構的根本認識，是東方生命科學的基礎。所以臟腑養生也是養生需要重視的一方面。

《易經》卦象指導下的人體「象系統」

現代人常說「臟腑」、「內臟」、「五臟」等詞，這些都是指我們體內的臟器。而在中國古代，乃至現在的中醫領域中，則會經常提到「藏象」一詞。那麼「臟」與「藏」有什麼關係，又有怎樣的區別呢？要想弄明白二者的聯繫，就必須從《易經》談起。

從「易」之卦象到「醫」之藏象

《周易》有一句名言：「易者，象也；象也者，像也。」這句話意為：《易》從根本上說就是一個「象」字，「象」就是「像」。

「象」有四個含義：一指卦象，就是《易經》創造的卦號符號系統；二指物象，就是萬事萬物的形象；三指意象，就是經過人為抽象、體悟而提煉出來的意義符號；四指取象，就是以卦象符號比擬萬事萬物，或從萬事萬物中推導出卦象符號。這四個含義中，前三個意義都是名詞，寫作「象」；後一個意義是動詞，寫作「像」。

整部《易經》從某種意義上說，就是從卦象到物象、從物象到意象的雙向推導與雙向比擬過程，《易經》思維實際上就是「象思維」。

中醫、氣功所採用的思維當然也是「象思維」，中醫講究藏象、脈象、證象、陰陽之象、五行之象……氣功講的「氣」實際上也是一種「象」。「象」有有形之「形象」和無形但可感之「意象」兩種，「象」又可轉換為符號、模型。

身體內部的「象系統」

「藏象」是中醫理論的核心，是中醫對人體生命功能結構的根本認識，是東方生命科學的基礎。

「藏象」兩字的意思簡單地說，就是「內藏外象」。「藏」（zàng）就是「藏」（cáng），隱藏，指隱藏於人體內部的臟腑器官，包括五臟（肝、心、脾、肺、腎）、六腑（膽、胃、小腸、大腸、膀胱、三焦）、奇恆之腑（腦、髓、骨、脈、膽、女子胞）；「象」，王冰解釋是「所見於外可閱者也」，就是可以觀察的形象，其實還應包括雖不可見但可感受的意象。「藏」與「象」，一個在內，一個在外，內外相應、內外同構。「藏象」是一個表述內臟的「象系統」。

現在不少人把「藏象」寫作「臟象」，雖然「藏」與「臟」只一字之差，但反映了兩種不同的思維方式，「藏」反映的是意象思維的方法，「臟」反映的是具象思維的方法。從《黃帝內經》思維方法看，應當寫作「藏」字。

藏象的實質

藏象的實質在於它是一種符號，是一種模型。

近代大醫惲鐵樵《群經見智錄》說：「《黃帝內經》的五臟，非血肉的五臟。」西醫講內臟系統是指解剖學上的臟器實體，是「血肉的五臟」；中醫講臟腑系統不是指「血肉的五臟」，而是指一種思維模型，既包括實體的西醫講的五個器官，又包括這些臟器的功能等等。

中醫五臟——心、肝、脾、肺、腎，並不等於西醫的心臟、肝臟、脾臟、肺臟、腎臟，不是臟器實體，而是指心功能系統、肝功能系統、脾功能系統、肺功能系統、腎功能系統。五藏可以統領人體的其他相關功能的器官、組織，與它們產生聯繫。

《黃帝內經》說「肺與大腸相表裡」，「心開竅於舌，其華在面」，這在西醫看起來莫名其妙。依照西醫的觀點，肺屬呼吸系統，大腸屬消化系統，兩者風馬牛不相及。中醫則認為，肺與大腸，心與舌、面等，有相同的功能、屬性，所以可歸為一類。可見中醫注重的是功能，而不是實體。

中醫藏像是模型，西醫臟器是原型。藏象模型是對臟器原型的模擬，因而藏象不可能完全等同於臟器實體。

有人認為，古代醫家是不自覺地、無意識地、自發地、身不由己地運用了這種思維方式。這種觀點值得商榷。我認為從「原型」轉化為思維模型，是中國人的思維偏向與早熟的「思維模型」共同作用的必然結果。

中國人早期就有一種注重動態功能、輕視實體結構的思維偏向。在醫療實踐中，發現有的臟器雖然形狀不同、結構上沒有聯繫，但卻有相同的功能或性質，於是就將它們歸為一類。如心臟跳動，脈搏也跳動，而從舌頭和面色上又可反映心的情況，故將它們歸為一類。

因為陰陽、五行、八卦這類「模型」至遲在西周末年就已大體形成，所以對臟器的歸類就可以借助這類模型，這是一種自覺的而不是自發的行為。在藏象理論構建中，如原來的臟器「原型」與這個功能模型不相符，那麼寧願改變「原型」也要適合這個思維模型。如「左肝右肺」，從實體臟器看應該是右肝，但從功能上看，肝主升、肺主降，更重要的是在後天八卦的模型中，木在左、金在右，所以為了適應這個模型，則提出「左肝右肺」說。

藏象是一個含有哲學與科學雙重意義的概念。這種以五行整體劃分的方式與《易傳》八卦劃分世界的方式，是完全一致的。分類原則都是以功能特性、動態聯繫為依據。將功能相同、行為方式相同、動態或靜態屬性相同、能相互感應的事物歸為一類，體現了「天人相應」、「天人合一」的整體觀念和全息思想。

其實，《黃帝內經》藏象學說與人類早期對藏象的認識是不同的。古文《尚書》、《呂氏春秋》、等認為，脾屬木、肝屬金、肺屬火、心屬土、腎屬水，這是從五臟解剖位置立論的。《黃帝內經》作者發現這種配應與五臟生理特徵不符，於是從五臟生理特性出發，調整五臟與五行的配應關係，以脾配應土，肝配應木，肺配應金，心配應火，腎配應水，反映了《黃帝內經》注重功能的特點。

以《黃帝內經》為代表的中醫理論，沒有明確按八卦理論將臟腑分為八類，而是採取五行學說模式，將人體分為五大系統，並與自然界的相關事物聯繫起來，對整個人體和有關自然事物進行五行歸類，建立起以五臟為核心的人體整體功能動態模型。

風從南方來，名曰大弱風，其傷人也，內捨於心，外在於脈，氣主熱。

風從西南方來，名曰謀風，其傷人也，內捨於脾，外在於肌，其氣主為弱。

風從西方來，名曰剛風，其傷人也，內捨於肺，外在於皮膚，其氣主為燥。

風從西北方來，名曰折風，其傷人也，內捨於小腸，外在於手太陽脈，脈絕則溢，脈閉則結不通，善暴死。

風從北方來，名曰大剛風，其傷人也，內捨於腎，外在於骨與肩背之膂筋，其氣主為寒也。

風從東北方來，名曰凶風，其傷人也，內捨於大腸，外在於兩脅腋骨下及肢節。

風從東方來，名曰嬰兀風，其傷人也，內捨於肝，外在於筋紐，其氣主為身濕。

風從東南方來，名曰弱風，其傷人也，內捨於胃，外在肌肉，其氣主體重。

——《靈樞．九宮八風篇》

在《靈樞．九宮八風篇》中，自然界被分為九個方位（中間方位不用，實為八方），即後天八卦、河圖洛書八方九宮模型，然後將八藏與它相配。

無論是五藏配五方還是八藏配八方，都是象數符號模型規範下的產物，這種方位規定體現了中國人象數思維的特徵，在中醫臨床實踐中，又往往與藏象生理功能相符合，於是就這麼沿襲下來，因而千萬不要以為五藏或八藏方位與人體解剖的實際方位不符合，就輕易加以否定。

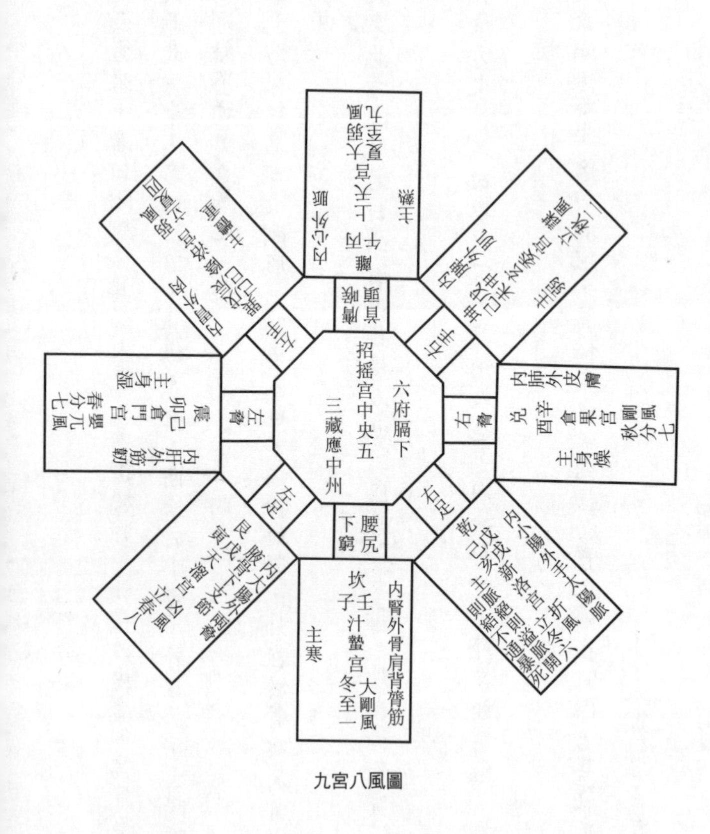

九宮八風圖

八卦八方八藏對應表

八卦	艮	震	巽	離	坤	兌	乾	坎
八方	東北	東	東南	南	西南	西	西北	北
八藏	大腸	肝	胃	心	脾	肺	小腸	腎

離卦——心：保護身體的君主

從離卦看心的特性

每個人都有自己的長相，自己的性格特點、喜惡、工作。藏象也一樣，它們各有各的樣子，也有喜歡的和討厭的，如果弄明白了它們的性格特點，能讓它們健康愉悅地工作，那我們還愁身體不好嗎？

心所在之卦屬離，離為火、日、南、夏，這樣我們就可以類推了，心一定有像火一樣的特性，所以心又被稱為「陽臟」、「火臟」。陽氣旺盛了，心的搏動作用才好，血脈溫暖，人也有精神；但如果陰陽不協調，心陽太強，心陰不足，不能抑制陽氣，人的精神就躁動。

我們的血脈與神

「心者，生之本，神之變也。」中醫把心當作身體最重要的器官，它統領著人身最重要的功能。《黃帝內經》說它是生存的根本，一個人如果失去了心功能，那就活不成了。那麼心究竟有什麼樣的生理機能，能對人體產生這麼大的作用呢？

心主血脈。心就是人體的發電機，就是血泵。如果心氣不足，心臟跳得沒有力度，血就不能百分之百地被輸送到四肢百骸。如果心陰不足，心跳得是夠快，但是每次輸送的血量卻不多，人家每次挑一桶水，挑五次就夠了，但是心陰不足的人就好像要挑十次，每次挑半桶水，事倍功半。如果心陽不足，則心的運動就會又遲緩又無力。

脈是什麼呢？脈可以說是血液在其中流動的管道。血流經的這些管道不像鋼筋水泥管一樣，管腔大小不變。脈管是能夠舒縮的，如果心的功能正常，這些脈管就會通暢，有規律地收縮舒張。如果心氣、心陰、心陽有問題，脈管就可能會阻塞或舒縮不利，這時就會有心胸憋悶、疼痛、口唇發紫、心慌等症狀。

心還主神，神就是我們的情感、精神、思維等活動。我們常說「心裡高興」、「心想事成」、「心思縝密」，中國人一直認為這些都是心的重要功能。

心好不好，看臉色看舌看汗

心「其華在面」，如果心氣不足，臉色就發白，看起來晦暗；心血不足，臉色就沒有光彩；如果血流通得不順暢，臉就發青紫；心陽太足、火亢，臉就紅。

「心氣通於舌」，一個人要是舌尖發紅，老人看到了一定會說：「上火了，心裡有火啊。」所以從舌的顏色跟形狀是可以看出心功能好與不好。如果心血不足，舌頭的顏色就淡，不夠紅潤，舌體也比較瘦；心裡要是有火，舌頭（尤其是舌尖）就紅，火大了還會舌上生瘡；血脈不通暢，舌頭就紫暗。

「汗出於心。」中醫講血汗同源，心血是汗化生的源泉。我們想一想，在情緒緊張、受到刺激的時候，人就可能會出汗，而這樣的大汗就會傷到心神。中醫上治療血虛的時候是不主張發汗的，因為心血不足的情況下，出汗會耗散心氣和心陽，很可能會使陽氣暴脫，那樣就很危險了。

乾薑肉桂，補補我們的心陽

心以陽為用，它是在陽氣的作用下才能正常運轉的。如果平時我們有一些心臟方面的病症，並且臉色比較白，但這種白又沒有光彩，發暗，就是前面講的心氣、心陽不足的臉色；而且怕冷，尤其是四肢末端總是冰涼，這種情況並不少見，很多年輕女孩都有這樣的毛病，有時還會出大汗，出冷汗。如果這樣，就證明我們身體裡的心陽是不足的。

這在五十歲以上的人群中是好判斷的，因為這時如果有心臟方面的病症，就已經逐漸顯現出來了；但是三四十歲、甚至二十幾歲的年輕人，在疾病還沒發生的情況下，怎麼知道自己心臟的功能不太健全呢？其實在日常生活中，有一些情況可以幫助我們做出判斷。

有個學生曾經跟我說過，一天晚上她正在睡覺，突然窗外傳來一聲尖叫，據她描述說聲音有些「淒厲」，好像叫喊的人遇到了很大的危險。同屋的四個同學都被叫醒了，但是其他三個人很快就又都睡著了，只有她，心突突地跳個不停，快要從喉嚨裡跳出來了，而且跳得特別快，都能聽到「怦、怦」的聲音。這種情況持續了很長時間，最後才慢慢好了。這個學生長得很纖弱，典型的面白無彩，雖然現在年紀小，不會有心臟方面的明顯病變，但是根據她的情況，還是應該多做些專門的保養。

平時在做菜做飯的時候，我們可以在裡面加些乾薑、肉桂之類的溫補食物。薑前面已經說過了，是男女都需要的好藥。肉桂也是辛熱的，可以歸心、脾、腎、肝經，是有名的助陽溫通經脈的食物，還能散寒止痛，味道又好，女性跟小孩都喜歡吃，熬粥、燜飯的時候放進去一些，又很方便。

在中藥裡還有桂枝也可以溫補心陽，煲湯燉菜放一些也不錯，只是桂枝發汗，像前面說的心血虛的人，就要慎用了。

搓打巨闕和心俞，給自己一顆強壯的心

在公園裡經常能看到晨練的老人，他們中的很多人都雙手握拳，掄打著前胸和後背，年輕人看了可能會覺得不可思議，這樣打自己為了什麼呢？

其實在我們的背部和前胸有很多臟腑之氣所彙聚的穴位，在後背的叫背俞穴，在前胸的叫募穴。比如心的俞穴是心俞，它在第五胸椎下，旁開一寸半。我們低頭時脖子後面有塊骨頭最突出，這個是大椎，它下面的就是第一胸椎，找的時候可以用手摸，摸到第五個下方就可以停住了，然後分別向兩邊移一寸半，這兩個點就是心俞。一寸半是多長呢？大拇指關節這個地方是一寸，這樣大家就很容易找到了。這個地方適合按摩，無人幫忙的時候可以用空心拳捶打，有別人幫忙的時候可以點壓揉按。

心的募穴是巨闕，它是任脈上的穴位，任脈就在我們胸前正中線的位置上。巨闕在肚臍上六

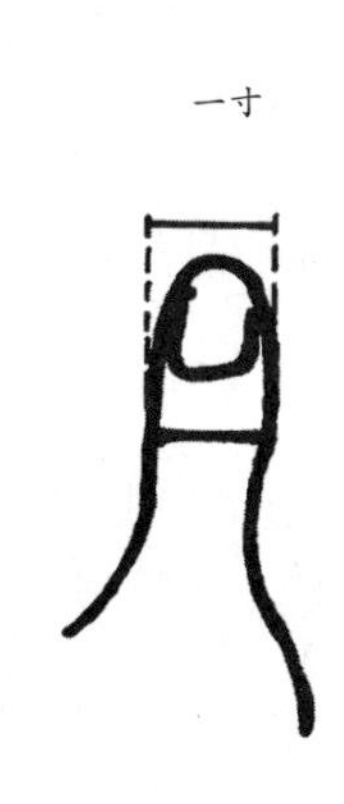

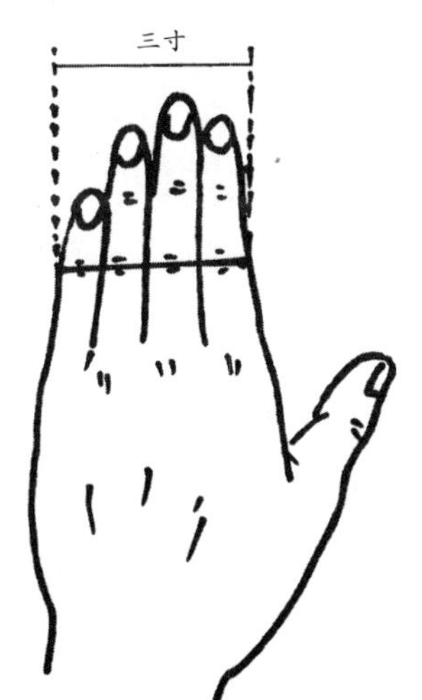

同身寸方法

寸，膻中穴下三寸。膻中與乳頭在同一直線上，很好找。

當我們把手指併攏，以中指中節為標準，這四個手指的寬度就是三寸了。

我們平時可以在這兩個穴的位置用手掌上下搓動，搓到胸背發熱為止。自己一般碰不到心俞的位置，可以跟晨練的朋友或家人互相幫忙。除了搓揉，握拳捶打也可以，不過力度要自己掌握好，不是越用力越好。

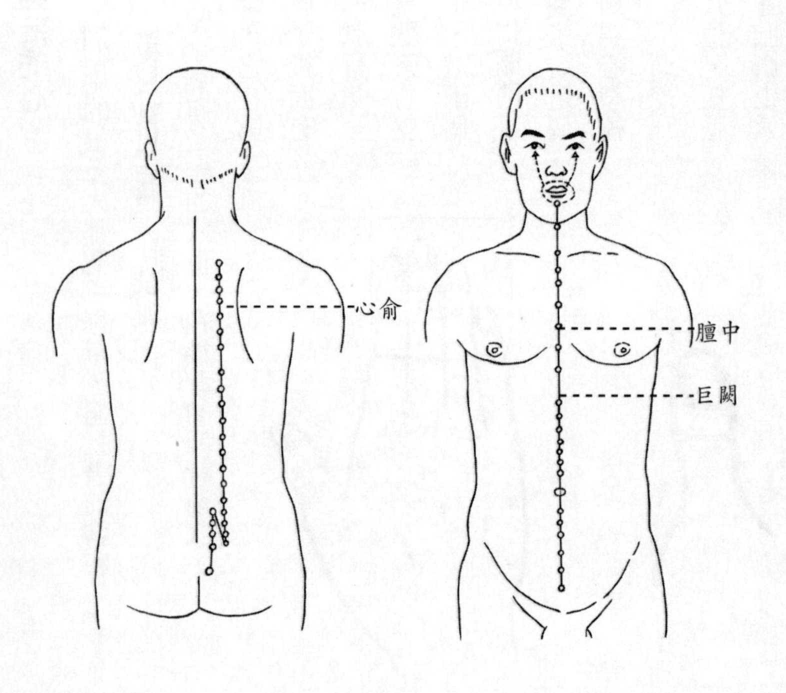

心俞穴和膻中穴

坤卦——脾：喜燥的糧庫保管員

脾所在之卦屬坤，《周易・說卦傳》載：「坤為地，為母，為布，為釜，為吝嗇，為子母牛，為大輿，為文，為眾，為柄，其於地也為黑。」除了這些，其實八卦的象徵物還有很多，可以無窮盡地類比下去。

從坤卦看脾的特性

坤為地，在五行屬土。土是生長萬物的東西，而我們要靠脾的運化功能才能得到養分，所以人是靠這個身體之土、這個後天之本供養著的。

「坤為地，為母，為布」，古代講的「布」是錢幣，而「布」也可以理解為「廣為散布」的布，這是因為「坤」是地，它最廣大，而錢幣流通就廣大，所以坤為布。反映到醫學上，脾胃怎麼對應坤卦？除了方位、五行上的考量外，脾也有廣布的作用。全身的水穀精微和水液都靠脾的作用才能輸送到各處，它把這些養料分配到我們身體的每一個地方，作用的地方非常廣大。

飲食需要運化，血需要統領

人出生以後，就得靠自己去營養自己，不能再依賴母體生存了。脾就扮演著這個「把食物跟水轉化成我們必需的養料」的角色，它不但要把這些吃進去的食物變成極有營養的精微物質，還要把它們輸送到全身各處。脾有這麼重要的作用，所以被人們稱為「後天之本」。如果脾氣不充實，身體的營養就不夠，氣血會虧虛，肌肉不豐滿、軟弱無力。

我們前面說了心主血，是血泵，而脾則有統血的作用。就像堤壩，如果堤壩夠高夠結實，就能讓水只流在其中，不至於跑出去氾濫成災；如果這個堤壩的作用被削弱了，那水就會跑出河道。血也一樣，要不是因為脾的控制作用，它們就會流出脈外。比如便血、尿血、崩漏等等，都是脾統血的作用出了問題。

脾好不好，看肌肉看口唇

現在很時興減肥，也有很多人練健美，他們的目的無外乎是讓身材看起來更漂亮。而減肥減掉的可能是水分，可能是脂肪，也可能是肌纖維變得纖細了。健美是讓肌束變得豐滿，皮下脂肪薄厚適度。

除了人為因素，我們的肌肉豐滿不豐滿，壯實不壯實，有勁沒有勁，大都取決於脾給我們的營養。《素問．五藏生成篇》中說：「脾主運化水穀之精，以生養肌肉，故主肉。」所以看肌肉，尤其是肌肉豐厚的四肢部位，很容易知道脾健康不健康。

脾開竅於口，我們吃東西、喝水都用嘴，所以唇、舌都能反映出飲食的情況。比如嘴裡淡、發甜、覺得膩等等，都會關係到脾的健康。

如果四肢發涼，吃得少又容易脹肚子，喜歡溫暖，舌頭的顏色比較淡，不是正常的紅色，舌頭比較胖，比以前大或者比正常人的大，這就表示脾陽可能虧虛。

大家要是總覺得身體沒力氣，頭重，舌、舌苔發生變化的時候，就要想到是不是脾生病了，這時候大眾用得最多的是看舌苔。舌苔要是比平時厚，又白又膩，可能是脾被寒濕所困；而舌苔又黃又膩的時候，就是脾蘊結著濕熱。

薏苡能防脾「受潮」

脾負責運化水液，水如果不能運出去，就會停留在脾內，我們的脾也就「受潮」了。脾是喜歡乾燥、害怕潮濕的。這些水濕不能正常地代謝，我們的身體就容易水腫，小便就會變少且不容易排出，還容易泄瀉，身體也覺得特別沉重、不輕鬆。

脾本身就是運化水穀的，所以最好從飲食上來健脾祛濕。現在可選擇的糧食很多，有一種亦藥亦米的好東西——薏苡仁（薏米）。《本草綱目》上說：「薏苡仁，陽明藥也，能健脾益胃。虛則補其母，故肺痿、肺癰用之。筋骨之病，以治陽明為本，故拘攣筋急、風痹者用之。土能勝水除濕，故泄痢、水腫用之。」

劉備也要練肌肉

《三國志》和《三國演義》裡都有這樣一段故事。劉備跟劉表一起吃飯，中途上了趟廁所，發現自己大腿上的肉都鬆鬆垮垮的，就忍不住哭了起來。回去落座以後劉表就問：「你哭什麼呀？」劉備就說：「以前我南征北戰的時候，大腿上的肉都很結實，現在很久不騎戰馬，腿上的肉又鬆又垮，天下大業還沒著落，這怎麼能讓我不難過呢？」

這段典故後來就叫「髀肉復生」，髀就是大腿的意思，騎過馬的人都知道，如果大腿上的肉（尤其是大腿的內側）比較多，腿很容易被磨破，騎得時間久了，鍛鍊得多了，肉就會緊緻，也就不會再被磨破了。後世有人稱讚劉備說：「曹公屈指從頭數：天下英雄獨使君。髀肉復生猶感歎，爭教寰宇不三分？」古代的人連腿上長點肉都要哭半天，像詩裡寫的這樣，如果能擔心自己的身體肌肉結實不結實，那獲得天下還有什麼可擔心的呢？這當然是從戰爭的角度考慮的，但是我們也可以換個角度，如果能像劉備這樣時刻關注自己的肌肉，注意鍛鍊，連天下都能賺到手，個人的健康就更不成問題了。

我們大部分人都只注重臟腑的健康。而經常鍛鍊肌肉，蛋白質含量會增加，肌纖維會變得粗壯，肌肉裡的毛細血管數量增多，使肌肉的體積增大、重量增加。脾是血的統領，而又主肌肉，所以如果肌肉強健了，血液量也會增加，並且血流會更加順暢。透過鍛鍊，不但能使肌肉粗壯有力，收縮得更快速、更持久；而且鍛鍊對人體的呼吸、心臟、神經等功能都有增強作用，對疾病的抵抗力也有提高。

有的人認為體力勞動可以代替體育鍛鍊，其實，這種想法是錯誤的。比如做廣播操，可以使全身各部分的肌肉關節都得到適當的運動，並且運動前的準備姿態和運動中局部肌肉疲勞的消除也有好處。因此，經常參加體力勞動的人，還是需要進行體育鍛鍊的。跑步、廣播操、太極拳、瑜伽等運動，都是不受條件限制、人人可行的體育運動。

震卦——肝：吃軟不吃硬的大將軍

從震卦看肝的特性

「震為雷，為龍，為玄黃，為旉，為大塗，為長子，為決躁，為蒼莨竹，為萑葦，其於馬也為善鳴，為馵足，未作足，為的顙，其於稼也為反生，其究為健，為蕃鮮。」

肝是靠肝氣行使其大部分功能的，而氣都是在不停運動著的，是不會停滯的，一旦停下來就會出事。「震為雷」，我們形容雷的時候用什麼詞呢？「滾滾」、「隆隆」、「陣陣」，這些詞都說明了雷的盛大與流動性。肝臟正有這樣的特點，它剛強躁動，如雷般聲勢浩大，又不肯停留。「為決躁」，是動的意思。「為蒼莨竹」，這種竹子有個最大的功能，就是一見到風就搖擺不定。「為萑葦」，這個「萑葦」就是蘆葦一類的東西，也是動。「其於稼也為反生」，在莊稼就是一種「反生」的莊稼，反覆生長的莊稼，因為震為動，為春天，它具有這個屬性。

從震卦中我們可以看出，肝臟有「剛」和「動」的特性。剛就是剛強，所謂動就是指肝氣的升發與流動。

氣大最傷肝

肝是跟人們的感情聯繫得很密切的臟器，也跟「氣」關係甚密。人說「氣得我肝疼」，這就是情志導致肝氣不舒的結果。

肝能夠通過本身氣的運動使全身的津液精血輸布正常，可以幫助其他臟器的「氣」正常運行。就像前面說的脾氣，也是要靠肝氣的幫助而運行。人要是覺得鬱悶的時候，心情不舒暢，氣就會凝結，身體的營養和各種氣鬱在哪兒，哪兒就會出現脹痛等情況。比如胸部疼、兩肋疼、乳房疼、肚子疼等等。要是肝氣反過來橫衝直撞的，人的脾氣就大，愛發火、面紅耳赤的，也容易發生疼痛和出血的症狀。

肝還被稱為血海，中醫認為它是藏血的臟器，能調節血量，防止出血。

肝旺不旺，要看筋看目看情緒

「肝生筋」，肝氣血旺，筋的營養就充足，人的各種動作就靈活、敏捷。老年人為什麼行動都很慢呢？很大一部分原因就是肝的氣血不足，筋得不到濡養，這時就會出現行動遲緩，手腳抖動、抽搐等情況。《素問・上古天真論篇》上說：「丈夫……七八肝氣衰，筋不能動。」

「肝開竅於目」，像眼睛乾澀、看不清東西、白睛發紅、又癢又疼等等，都是眼睛在告訴我們肝出了毛病。

肝是很情緒化的一個臟腑，用大陸老百姓的話講叫「順毛驢」，你順著牠牠就高興，逆著牠牠要嘛跟你大發脾氣，要嘛自己鬱悶著生氣，確實如《黃帝內經》所說，是「將軍之官」，吃軟不吃硬。

我就見過一些人，脾氣很暴躁，排隊看病時如果人多，他就不耐煩，還會跟旁邊的人吐苦水，說很多煩心事，這些都是肝氣不舒的表現。對於這種病人，光勸說安慰是沒用的，必須治肝才有效果。反過來說，如果肝不好，也會影響我們的情緒，好脾氣、開朗的人得了肝病，情緒多半也會變得很糟糕。所以如果家裡人、朋友的脾氣變得跟以前不同了，比較暴躁或愛歎氣，我們應該關注是不是他們的肝出了毛病。

常抻筋骨，老來腿腳靈便

曾有一個朋友跟我說最近體虛，身上沒勁兒，連彎腰都快成問題了。他才五十歲左右，要是從這時就開始體虛乏力，那以後的二三十年要怎麼過呢！我問他平時回家都做些什麼，他說：「還能做什麼啊，回家就躺著休息，家人做好了飯就吃飯。我可注意養生了，晚飯從來不吃多，六點以後任何東西都不吃，卻覺得腿腳總拘在一起，老發緊，是不是年輕時候幹的活兒太多，累傷了？所以我現在回家就躺著，伸展伸展。」

其實，越是用腦過多的人越容易肢體疲乏，這是不活動的結果。即使回家做家務，也不能使身體得到緩解。人覺得身體累了以後的第一反應就是躺臥，但對於體力勞動者來說，這是可以的，而對於運動量本來就小的人來說，這就適得其反了。還有些朋友上下班都騎很長時間的自行車，他們覺得騎車也是運動，而且運動量也夠大了。但是這種運動不能舒展我們的筋骨，要想擺脫那種身體發緊、手腳僵硬的感覺，就要做些能抻筋的動作。

這個動作對女性尤其適用。女性五十歲左右處於閉經前後，身體會發生急劇的變化，很多人都會出現退行性的病變，肩周炎就是其中之一，如果一直持續做這個動作，就能很有效地預防此類疾病。讀者也不

抻筋擺脫身體僵硬

將雙手十指交叉，高舉過頭，兩臂伸直，盡量保持身體筆直，停留一會兒；雙手再保持同一姿勢，彎腰，盡量使手貼近地面，腿不能彎曲。這兩個動作誰都會做，而且平時也一定都做過，它們對「抻開」我們身體的筋很有好處。要注意的就是一定要持續天天做，而且每個動作都要有停留，每日不拘什麼時候，多做幾次。

任何事都是循序漸進的，如果剛開始持續的時間短，手也夠不著地都不要緊，只要持續一個月，就能看到鍛鍊前後的大不同了。

妨現在就試試，說不定馬上就能知道你腿腳的筋骨是不是存在一些問題。

平和接受是妙方

我們常聽到「平和忍讓是妙方」。其實「忍」主要為的是忍小氣而成就大事。對於養生來說，我們不是要成就什麼豐功偉業，所以你可千萬別忍，也別相信什麼忍為高的古訓。

忍是什麼意思？是控制住內心的某種感覺、情感，不讓它表現出來。這樣不代表你沒有這種感覺，只是人為地把它壓制住了。很多病都是這麼憋出來的，尤其對於屬於震卦的肝臟來說，它如雷，好動，又剛強，這些痛苦、鬱悶等感覺憋在身體裡，勢必遏制肝氣的流動。如果是內向的人就容易抑鬱，如果是脾氣大的人就容易肝陽上亢，氣鬱化火，灼傷肝腎之陰。

所以，遇到不平的事、遇到鬱悶的事要把道理想通，光想著忍耐，不是解決的辦法。有人說，愛一個人的話，不是他錯了依然忍著，而是覺得他做的自有他的道理。這用在我們的情感養生上也是如此，不是覺得生氣、鬱悶，而是忍著，要與自己對話，為別人多想想，放開胸襟，化怒氣為平和。自己不能疏導自己的時候，就對親人、對朋友多講講。在講的時候，你可以先不說是發生在自己身上的，以第三者的角度說出來，然後讓聽的人幫著評評理，這時你聽到的也許是你從來沒想過的。

兌卦——肺：「一人之下，萬人之上」的調節官

從兌卦看肺的特性

肺在八卦屬兌，「兌為澤，為少女，為巫，為口舌，為毀折，為附決，其於地也剛鹵，為妾，為羊」。巫是巫婆，為什麼兌為巫婆？因為它為嘴，嘴巴太會說了，巫婆的嘴就是太會說了。律師是這一類的，教師也是這一類的。「為口舌」，口舌有兩個意思，第一個意思是有口才，第二個意思是搬弄是非，又叫「兩舌」，這是佛家說的。「為妾」，妾就是小老婆，也和小有關。「為羊」，因為羊是一種喜悅溫順的動物。從這些解釋我們可以看出來，兌跟口有密切的關係，也就與氣有關，而氣的運行就是上或下，說得專業點就是宣和降。而像妾和羊這些象，則說明了它的嬌嫩與易受傷害的特性。

掌管呼吸，調節全身

人活著無非一呼一吸，吐故納新。《黃帝內經》上說：「肺者，氣之本。」這個氣同前面說的脾氣、肝氣不同，是自然界與人體交換之氣，是後天之氣。肺就像一個風匣，若出了問題，廢氣就排不淨，清氣也就吸不夠。

肺還有調節全身的樞紐作用，全身的血都得通過肺換氧氣，血和津液的運行也得靠肺部氣機來推動。

肺是很嬌氣的臟腑。一是它跟外界直接相通，其他臟器都在身體裡，層層肌肉，層層隔膜，而肺位於身體的最高點，直接把自然之氣轉化成人身之氣，所以也最容易受到外部環境的影響，寒熱燥濕都對它有傷害。二是肺本身是容納氣的，內空而易翕張，比較纖弱，抵抗能力就差；不像胃一樣，容納食物，所以胃壁比較厚實。

喉是肺門戶

肺是後室，氣管是通道，喉嗓就是大門。我們要知道肺有沒有毛病，最直接的就是從喉來看，看喉不是單指看看喉嚨有沒有腫痛，肺出現病症通常還會從咳嗽和痰表現出來。

比如有的人咳起來很厲害，但沒痰或者總覺得嗓子裡有痰，可是比較黏，想吐又吐不出，這種感覺很難受。我國學班的一個學生就對我說，晚上躺在床上，經常被喉嚨裡的痰憋得睡不著，使勁咳又咳不出來，喝口水都好像被堵得咽不下去。我就叫他用電鍋煲煮梨塊，吃時不拘次數，反正每天把梨塊都吃了、把湯都喝了就行，一天一個大雪花梨，兩周後，他這種感覺就消失了。這種小症如果去醫院看根本算不上是病，但是很難受，在環境污染嚴重、天氣乾燥的城市中又經常可見。最關鍵的是，症狀反覆出現，就容易被燥邪傷到肺；放任不管，以後就可能口唇鼻咽都變得很乾，甚至還會出鼻血、咳血，到那時再治療就很費事了。

播音員的護嗓小妙招

我有個女學生是電視台的播音員，聲音特別動聽。有一次她問我：「您每天講這麼長時間的課，還要經常作報告，接待一批一批的來訪者，嗓子怎麼受得了？」我說：「那你每天也要練聲，也要說很多話，你怎麼保護嗓子的呢？」她說：「我要注意氣息，控制得好其實並不累。」我說：「除了控制氣息，我還經常喝水，喝溫水。」她馬上接道：「我也是，一般嗓子不舒服的時候就會含一口溫水，然後仰頭，一點一點地把它咽下，這樣嗓子就舒服了。」

她說得一點也沒錯，溫水可以通調我們的喉嗓，一是水本身就能潤肺，而且那種微溫的溫度，使整個和肺臟相關的部位都得到舒緩。像老師、導遊這類說話比較多的人應該試試，多言傷氣，傷氣也就必然損傷肺臟，要在一點一滴中進行保養。

六點四秒的呼吸最益養生

前面說過，人的生命無非是一呼一吸，有的人呼吸的頻率很快，但還是覺得氣不夠用，這是因為他的呼吸很表淺，每次吸進去的空氣不足以提供充足的氧氣。呼吸有時候也是一種習慣，你習慣了什麼樣的呼吸頻率，對肺部的健康也有很大的影響。養脾可以養肌肉，養肝可以養情志，而養肺就要養呼吸。

我一直主張慢呼吸的方法，這可以保證我們呼吸的深度，能讓肺盡量擴張，同時這種節律也與宇宙運行、真氣運行的節律相符。那到底多長時間較好？最好的是一呼一吸週期為六點四秒。有的人跟我說這也太僵化了吧，一個人怎麼可能把自己呼吸的時間控制得這麼精確。這當然是個概數，我們可以先對著表練習，盡量接近這個時間，平時走路、看電視時想到了，就盡量保持緩慢的呼吸，久而久之就習慣了。

游泳也是鍛鍊呼吸很好的方法，因為要憋氣。即使不游泳，我們也可以像《黃帝內經》中說的那樣，練習練習閉氣，可以使肺變得強健。

憋氣還可以治打嗝，深吸一口氣，挺胸，把氣憋在胸腔裡，直到覺得憋不住了為止，一般反覆幾次，打嗝的問題就解決了。也有人問我說：「您總說氣要停在哪兒，我怎麼知道把它停在哪兒啊？它又不受我控制。」這個很好解決，把氣憋在胸腔的時候，會覺得胸腔有緊迫感，有時候胸骨下面還會被氣沖得有一點點疼，把氣吸進來後用力快速停住，用力了，胸腔就擴展開了。

坎卦——腎：腎精足則人不老

從坎卦看腎的特性

《周易．說卦傳》載：「坎為水，為溝瀆，為隱伏，為矯輮，為弓輪，其於人也為加憂，為心病，為耳痛，為血卦，為赤。」

「坎為水，為溝瀆」，因為溝瀆就是灌水的。「為隱伏」，因為水是往低處流的，所以水是潛伏的，水是善利萬物而不爭，雖然不爭，但是莫之能勝。「為矯輮」，水沒有具體的形狀，所以可以變化矯輮，水幾於道。「為弓輪」，它可以彎曲，形變。「其於人也為加憂，為心病，為耳痛，為血卦，為赤」，這是對人來說的，「加憂」就是多憂，加倍的憂愁，為什麼呢？因為它跟心有關。

坎卦為水，應該是為腎，為什麼是心呢？中醫裡說「腎為水，心為火」，那為什麼坎為水，它又表示心了呢？這還是跟腎有關，就是著名的一句話「心腎不交」，腎水太淺了，腎水不夠，引起憂愁，所以心和腎是一種關係思維。這就是中醫的頭痛不醫頭，它醫腳，西醫是頭痛醫頭，腳痛醫腳，中醫是腳痛醫頭，頭痛醫腳。「為血卦」，因為坎為水，血也為水。「為赤」，血就是紅色的，所以為赤。

腎為水臟，對於水、精這些容易泄漏的物質，要能夠封藏才是強健的腎，而要想閉藏有力，就要腎氣足、腎陽旺。雖然腎陰也有不足的時候，但是總的來說，養腎還是要注意氣與陽的問題。

坎為精之源

對於腎藏精的問題，各種書說得已經太多了，它是承載人從胎兒開始就形成的先天生殖之精的臟器。腎精很像神話傳說裡那種用了還會自己長出來的東西，只要沒消耗完，留有種子，就會源源不斷供給人體的需要。所以我們在保養腎的時候，就要注意不要讓腎精完全枯竭，也就是說要節制，不能消耗太過。

小孩子如果腎精不足，生長就受到影響；年輕人腎精不足，很可能會影響生殖；老年人則會加速衰老，髮易脫齒易落，還會頭暈耳鳴。

腎還能調節全身的水液。脾、肺負責把水輸布全身，內至諸臟腑，外至毛竅，腎氣則負責把水液中的營養重新吸收，所以小便的多少、頻數、清濁等，都跟腎臟相關。

腎好不好要看骨、髮、耳

腎主骨生髓，其華在髮，開竅於耳和二陰。嬰兒如果腎不好，頭頂的囟門閉合得就慢，甚至不閉合。隨著腎精的虛衰，老年人牙齒就會脫落，也容易得骨質疏鬆症、骨折。

頭髮是精血澤養的，它又離腎臟很遠，就像地裡的莊稼，如果旱了，就從最上面的苗開始一點一點枯萎下來，所以當腎精血不足的時候，頭髮也不會粗壯順滑。還有，腎精是先天得來的，看一個人的髮質也能看出他先天是不是精血充足。

擦腎俞讓腎陽源源不斷

清代的養生大家高濂記載過這樣一個故事。有一次他跟一個朋友在一起，當時正是寒冬，特別冷，高濂過一會兒起來去小解一次，沒坐多久就折騰了好幾次。這朋友就問他：「你去廁所怎麼這麼頻繁啊？」高濂答道：「天冷本來就這樣啊。」朋友又說：「我不管春夏秋冬，就每天早晚兩次而已。」高濂很想知道原因，就問：「有什麼好方法嗎？」朋友說是有好方法。於是高濂就專門抽了一天時間，特意去拜訪他，請教這個小訣竅。朋友告訴他說：「我小叔得到高人的傳授，每天睡覺前要坐在床上，解衣垂足，憋住氣，舌頭抵住上顎，目上視，收緊肛門，用手摩擦兩腎俞穴，各一百二十次，做完馬上就睡覺。我這樣做三十來年了，受益匪淺啊。」回來後，高濂把這個方法告訴家裡的老人，老人做後效果果然很奇妙。以後他又告訴了很多親朋好友，都有很好的療效。

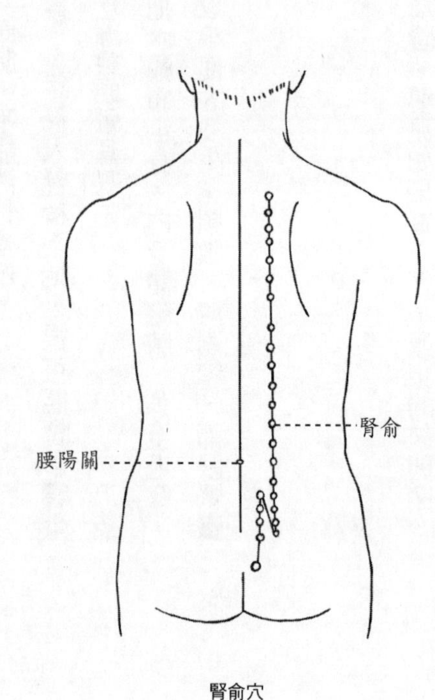

腎俞穴

腎是水臟，水性寒，所以需要陽氣的溫養，而按摩下丹田、關元、命門、腎俞、腰陽關等穴，是最能補益腎陽的。很多人以為按這麼多穴位一定很麻煩，其實不然，它們的距離很近，下丹田跟關元，一個在臍下一寸半，一個在臍下三寸，按摩的時候可以雙手疊掌放在下腹，揉按整個下腹部。命門的位置也很好找，就在肚臍正對著的後方，命門旁一寸半就是兩個腎俞穴。而下丹田對著的就是腰陽關。最好腎俞和命門能按穴位分別按摩，除了補益腎陽，還能緩解腰部疲勞。

巽卦——胃：建好身體的「魚米鄉」

從巽卦看胃的特性

巽為木，糧食也屬於木，而胃是腐熟食物的主要臟器。《周易．說卦傳》中又說：「其究為躁卦。」這說明巽是躁動不安的一個卦，需要相反的柔靜的元素來剋制才行。根據五行相生的理論，水生木，而水正是至柔至靜的東西，能夠給巽以安撫和柔潤。屬於巽卦的胃也是一樣，它要腐熟食物就要靠胃液的作用，還要有一定的津液才能推動和蒸化裡面的食物，所以胃是喜潤惡燥的。

化水穀為精微

胃屬於六腑，腑與臟不同，比如腎臟要藏精，肝臟要藏血，它們就像一個國家的國庫，必須保證一定量的儲備，保留一個種子，才能不斷供給幾十年的身體所需。腑則不能留住什麼東西，萬一留住了那就要出事。胃如果不能把食物下傳到腸，就會食積；膀胱要是也把廢水「藏」起來，那人就不能排尿。道理很簡單。所以胃的主要職能就是：在吃進去的食物裡加點腐熟劑（胃液），然後攪拌、加工讓它們變成食糜，從而把裡面的精微營養吸收出來，再把消化過的東西傳送到腸裡。

什麼是好胃？一是要能有效地變水穀為精微，二是要能把消化過的食物傳遞到下一腑——小腸。

胃氣順不順看飲食

如果胃疼、嘔吐，我們很容易知道是胃出了毛病，但是這時病症已經呈發作狀態了。如果平時飲食上有了改變，就要注意胃以及其他臟器是不是出現毛病了。

胃氣虛衰的人不大喜歡吃東西，吃了就覺得脹，也不大愛喝水。胃陰不足的人也可能會不喜歡吃東西，或覺得胃裡滿滿的。胃陽虛的人就相反，他們吃過東西後，胃疼的症狀會緩解，還喜歡溫熱，要是在胃上放個熱水袋之類的，就覺得很舒服。胃熱的人怕按，能吃東西還容易餓，有的人還會有口臭的症狀，如果口臭比較頑固，又找不到別的原因，就要想想是不是胃出了毛病。

跟胃有關的症狀還有很多很多，大家平時要注意自己和家人的飲食習慣和相關情況，覺得不舒服就及早解決，省得釀成大病。

公孫一穴治胃酸

現代人十之八九胃都不好，即使再強調三餐的重要性、強調身體的養護，也有很多年輕人不太在意，所以要教大家一些最簡單的方法，讓老年人跟年輕人都能輕鬆操作，並且真的幫助大家解決日常生活中經常遇到的問題。

胃痛是胃病最常見的表現，針灸治療效果非常好，而且每次也就三四個穴，患者也不覺得受罪。在家裡針灸不易操作，我們就可以點按這些穴位，作用是相同的，只是作用的時間要長一些，次數要多一些。

中脘和足三里是治胃的聖穴，胃痛無論虛實，都可以通過這兩個穴位來治療。

中脘位於身體的中央，就像一個國家的中心，所以它能調理四面八方的氣機，同時它又離胃特別近，對胃病的作用很直接。

有一個朋友一提到胃痛就痛心疾首的樣子，他的胃倒是沒什麼大病，就是有的時候會痙攣，疼起來一陣一陣的，疼十幾秒，又停十幾秒，他說：「說不疼就馬上不疼了，但是我要用那十幾秒來養精蓄銳，因為馬上又會疼的，要攢夠力氣才能應付。我想，女人生孩子時的陣痛，可能就這種感覺吧！」他是個不愛吃藥的人，很想透過中醫按摩的方法解決一下這個問題。我告訴他，除了中脘、足三里兩個穴外，

伏兔
陰市
梁丘
犢鼻
足三里
上巨墟
豐隆
條口
下巨虛
解谿
衝陽
陷谷
內庭
厲兌

梁丘穴

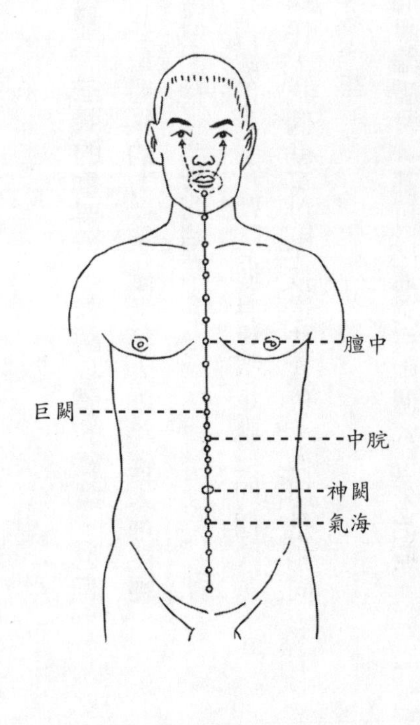

中脘穴

還要加一個梁丘穴。要找到這個穴，要先屈膝，在大腿外側、髕骨上面兩寸的地方。這個穴肌肉很豐厚，按的時候要用點力氣才好。一般按十五至二十秒，鬆開，再按。「丘」一般是小土堆，梁丘穴位置上的肌肉也是突出來的，只有胃經的經水暢通了，能越過這個高出來的小丘上下流動，我們的胃才能好。

這個朋友又說他平時胃酸比較多，有時就躺在床上，頭歪向床外，然後張開嘴，酸水就順著嘴往下面放的小盆裡流，流得很嚇人。我說這好辦，你再加按公孫穴就可以了。找這個穴的時候，可以順著大腳趾後面最突出的骨頭往後摸，摸到下一節突出來的骨頭前就是了。一般胃不好的人按這個地方的時候，痛感都會很明顯。

像足三里、中脘這樣的穴位要常按，胃不好的人要當成保健穴每天按摩，個別症狀突出時，就加上梁丘、公孫。要注意的是，如果按壓中脘時，覺得這個穴位疼痛更厲害的一般是實證，虛證的話按了會覺得舒服。但無論虛實，按這個穴位都是有效的。

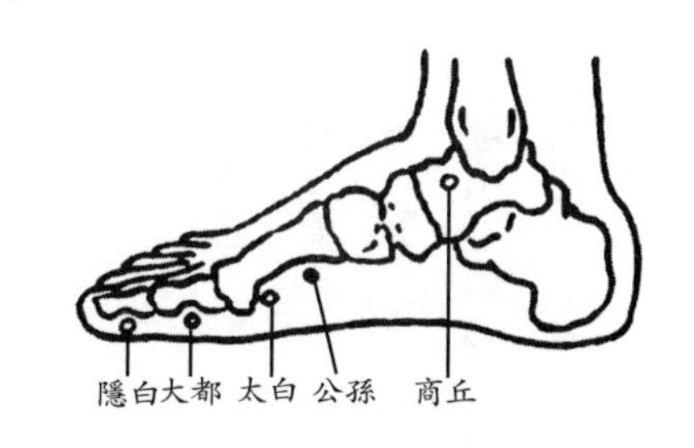

公孫穴

艮、乾兩卦——大小腸：疏通身體毒素的傳送帶

「乾為天，為圜，為君，為父，為玉，為金，為寒，為冰。」

就八卦取象來看，「乾為天，為圜」，因為天圓，所以為圜。「為玉，為金」，「金」是指金屬，這是因為玉和金都是剛勁的，有剛、健的性質。「為寒，為冰」，這是因為乾是西北之卦，時間上為深秋，接近冬天，所以為寒、為冰。因為乾本身的這些剛健的特性，所以作為其代表的小腸是跟「液」打交道的，這樣剛柔才能平衡。

從艮、乾看大小腸的特性

「艮為山，為徑路，為小石，為門闕，為果蓏，為閽寺，為指，為狗，為鼠，為黔喙之屬，其於木也為堅多節。」艮「為徑路」，就是小路，大路是震卦。雙人旁的字全指小路，路有什麼特徵？四通八達。我們想想，如果路上車多人多，又沒有員警進行有效的疏通工作，那一定會塞車。腸也一樣，如果腸裡面東西堆積了很多，又不能排出去，那肯定會便祕。「其於木也為堅多節」，我們的腸也是九曲十八彎，有很多褶皺，一節一節的。

前面已經說過了艮為陽土，所以雖然大腸跟脾都屬於土，可是由於陰陽的不同，它們的特性也是不同的。脾喜剛燥，但是大腸主津，雖然有燥化的作用，但最終要保持水液適度，不然一定會出現腹痛、腸鳴、泄瀉、便祕等症狀。

糟粕的傳化

怎樣吸收和利用營養，是身體健康很重要的面向，而還有一個面向也同樣重要，那就是糟粕的傳化與排出。

食物經過胃的消化後被轉運到小腸，小腸會進一步消化，這些東西化為精華和糟粕兩部分，精華自然就吸收了，糟粕就再向下送到大腸，而廢水就到了膀胱。如果小腸不能吸收營養，人就會面黃肌瘦、體弱多病。如果小腸化物的功能失調，我們就會覺得肚子脹，有時會聽到腸鳴的聲音，還會有腹痛等症狀。

大腸則吸收小腸傳下殘渣中的水分，然後把剩下的排出體外。無論寒、熱、氣滯、血淤等，都會引起排便的不正常。

大小腸看大小便

去醫院看病的時候，先要把疾病的症狀告訴醫生，醫生還會問很多例行的問題，比如吃得怎麼樣、睡得怎麼樣、怕熱還是怕冷等等。還有一個很重要的問題，就是大小便怎麼樣。大小便在中醫的診察中是很重要的因素，因為它不僅能反映人體的寒熱虛實，還能看出各個臟腑的健康程度。

比如有的人排便次數正常，一天一次，很規律，但是便不成形，總是感覺很黏，不容易沖淨；排便感也很強，可是不容易排出，總像黏著在腸壁上一樣，用很大勁兒也便不淨。這就說明體內有濕，腸道的傳導不利。還有吃進去食物不消化的，看便都能看出吃的是什麼，這樣的人一般脾胃或者腎比較虛弱，所以不能很好地消化食物。

前面講過，如果腎陽不足，小便會色清且次數多，晚上會更厲害。這樣的人要注意保暖，更要補益腎陽，強固腎氣。如果尿量特別少，次數也少，可能是身體有內熱，津液已經被灼傷了。愛出大汗的人，小便也可能會相對少些，人體就這些水分，從一條通道排出了，另一條自然就少了。還可能是肺、脾、腎等功能出現了問題，水停在了身體裡面，也有可能排不出，這樣的人很可能會水腫。

「欲得長生，腸中當清」

《論衡》中說：「欲得長生，腸中當清；欲得不死，腸中無滓。」大小腸就是排出身體毒素的器官，所以讓腸道保持通暢、讓體內廢物及時排出，就是保證健康的基礎。

社會上流傳很多促排便的方法，比如多吃纖維含量多的蔬菜，多飲水、摩腹等等。其實便祕的原因多種多樣，最好對症下藥，這樣效果才顯著。屬於熱證的，津液在內都被熱燒灼掉了，所以要注意補水、降火。老年人和體弱的人也容易便祕，他們多是因為氣虛、陽虛，腸沒有力氣把糞便推出體外，這種情況就要多鍛鍊身體，飲食上除了吃含纖維多的東西外，還要補氣補陽，並且多做腹部按摩，腸自己沒有力氣蠕動，我們就人為地幫它蠕動一下。我們體內的液體來源都是一樣的，像汗、血、小便，還有各處的體液，這裡如果多了，那裡就一定會少，所以出汗過多、血虛的人也都容易便祕。這樣的人一方面要滋潤腸道，另一方面還要補血補液才行，最好多吃點核桃，飲食中還可以加點當歸、生地之類養陰血的藥物。

養生六字訣——五臟六腑全調遍

養生六字訣不是一時一人所創，是數代很多養生大家集體智慧的結果，經過不斷昇華，屢次改造，最後才形成了我們現在所見到的這套功法。

唐代名醫孫思邈，按五行相生之順序，配合四時之季節，編寫了衛生歌，奠定了六字訣治病之基礎。歌云：

春噓明目夏呵心，秋呬冬吹肺腎寧。
四季常呼脾化食，三焦嘻出熱難停。
髮宜常梳氣宜斂，齒宜數叩津宜咽。
子欲不死修崑崙，雙手摩擦常在面。

我們所說的「六字」就是指「噓、呵、呬、吹、呼、嘻」。其中前五個字對應五臟，還有一個嘻對應的是三焦。練習這個功法很容易，而且對專臟的保養治療效果顯著。

心對應的是「呵」字。我們只需雙腳與肩同寬站立，全身自然放鬆，雙腿最好微微彎曲，不能分心，專心地唸「呵」字即可。但我看過很多人在做這個功法時，唸的氣力都很大，總是大聲地把它讀出來，來來往往的人都能聽見，這樣就錯了。這種功法重在專注，唸字的時候幾乎無聲，自己能聽到時就證明聲音已經太大了。不光是「呵」字，其他五個字也是一樣。

有人會懷疑是不是真的這麼神奇，那就不妨持續做三個月試試，效果一定出乎你的意料。

第五章

《易經》八卦的全息辨健康

《易經》八卦是宇宙萬物的規律圖，也是人體生命的規律圖，同時還是人體的結構圖。

人的身體可以視為一個八卦，面部、眼部、手掌、足部，甚至一塊骨頭，都可能和全身器官相關。

一葉落知天下秋，八卦全息就是見微知著，為我們充分提供自己身體的健康資訊。

一葉知秋

惟賢人上配天以養頭，下象地以養足，中傍人事以養五藏。天氣通於肺，地氣通於嗌，風氣通於肝，雷氣通於心，谷氣通於脾，雨氣通於腎。六經為川，腸胃為海，九竅為水注之氣。以天地為之陰陽，陽之汗，以天地之雨名之；陽之氣，以天地之疾風名之。暴氣象雷，逆氣象陽。故治不法天之紀，不用地之理，則災害至矣。

故善用針者，從陰引陽，從陽引陰，以右治左，以左治右，以我知彼，以表知裡，以觀過與不及之理，見微得過，用之不殆。

善診者，察色按脈，先別陰陽；審清濁，而知部分；視喘息，聽聲音，而知所苦；觀權衡規矩，而知病所主。按尺寸，觀浮沉滑澀，而知病所生。以治無過，以診則不失矣。

——《素問．陰陽應象大論篇》

人體與自然界有千絲萬縷的聯繫，《黃帝內經》上說，人的頭好比天，足好比地，五臟好比人事，而風雨雷電這些自然現象又都同於我們的各個器官，腸胃像大海、呼吸像疾風等等。

好的醫生能透過自己推及病人，看到表面的症狀就能了解裡面的病情，在疾病初期就能預測到以後的危險。

善於診治的醫生，透過診察病人的色澤和脈搏就知道病變所在部位，觀察呼吸就知道他們的痛苦所在，把脈就能判斷是哪個臟腑出了事。

為什麼從看自己就能推及別人？為什麼看色澤、診脈象，就知道病人是哪個臟腑出現了問題、得了什麼病？為什麼頭病了可以治腳，左邊病了可以治療右邊？這是一個很奇妙的問題。其實人體的很多部位都可以反映出全身的健康狀況，我們最熟悉的可能就屬脈診了。左手的三部脈分別是心、肝、腎，右手是肺、脾、命，醫生一摸我們的手腕，就知道哪個臟腑有問題了。這些臟器的情況就映射在手腕三寸之內的地方，方寸之地，包含的健康資訊卻是無窮的，甚至一塊骨頭，都可能和全身相關。這就是一葉知秋的道理。

人人都能掌握的八卦健康觀察法

我們回想一下，去醫院的時候，醫生都是怎麼給我們看病的。他們會讓我們張開嘴，看一下我們的舌，如果是中醫，看過舌頭就能判斷出你是熱症還是寒症，是濕還是燥。如果是熱，哪個臟器熱？如果是寒，是哪種寒……等。這是因為舌就是一個全息元，從它就能看到全身的情況。

中醫觀察舌色、苔色，反映了陰陽五行八卦的思想。舌上可以分八個區域，每一個都有所對應的八卦，透過八卦的分布就能知道舌尖是離，如果舌尖發紅就是心有火。再比如舌根屬坎，如果舌根的苔都剝落了，就說明腎精不足。所以，我們平時就可以在家對著鏡子觀察自己的舌，然後根據八卦所提示的臟腑資訊來判斷基本的健康狀況了。

看舌頭的時候要先看舌體，舌形正不正常，顏色有

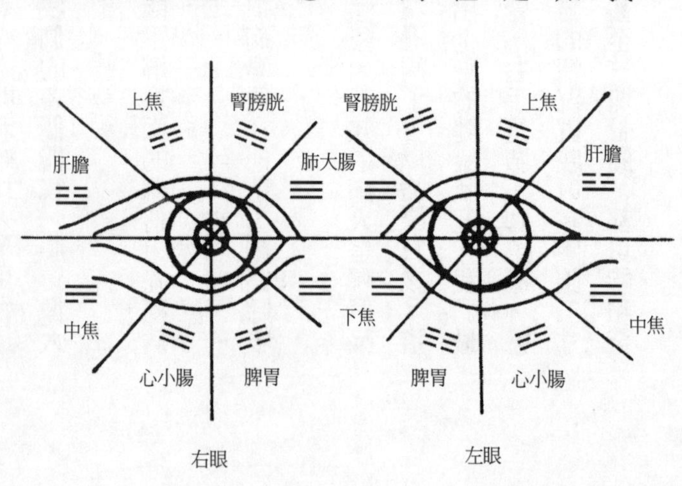

眼診八卦圖

什麼變化，舌頭靈活不靈活。然後看看舌苔，是不是發黃、發黑，苔是薄還是厚，是不是均勻地覆蓋在舌面，還是哪個部位的苔偏厚或剝落了等等。

除此之外，還有人體八卦、面八卦、眼八卦、手八卦、股八卦、足八卦……根據八卦全息理論，可以把身體沒有窮盡地分下去。下面挑幾種重要的、常用的，來為大家講講怎樣用這些全息八卦觀念來養生。

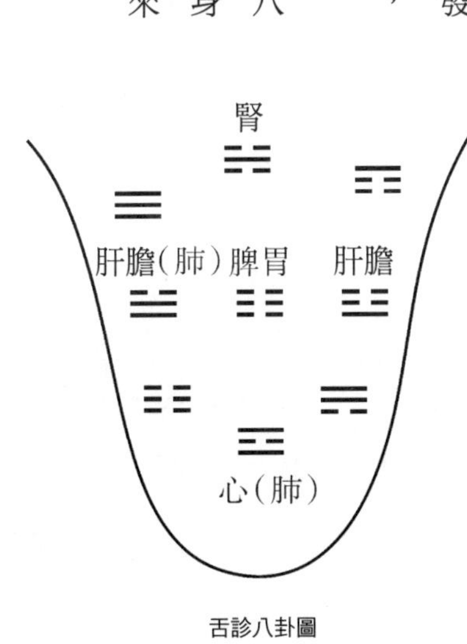

舌診八卦圖

人身八卦：從頭到腳養護身體

《易傳》說：「乾為首，坤為腹，震為足，巽為股，坎為耳，離為目，艮為手，兌為口。」這就把人分成了八個部分，每個部分都根據各自的特性，分別對應了八卦中的某一卦象。根據這些卦象延伸開來，我們就可以利用《易經》的智慧來養護身體了。

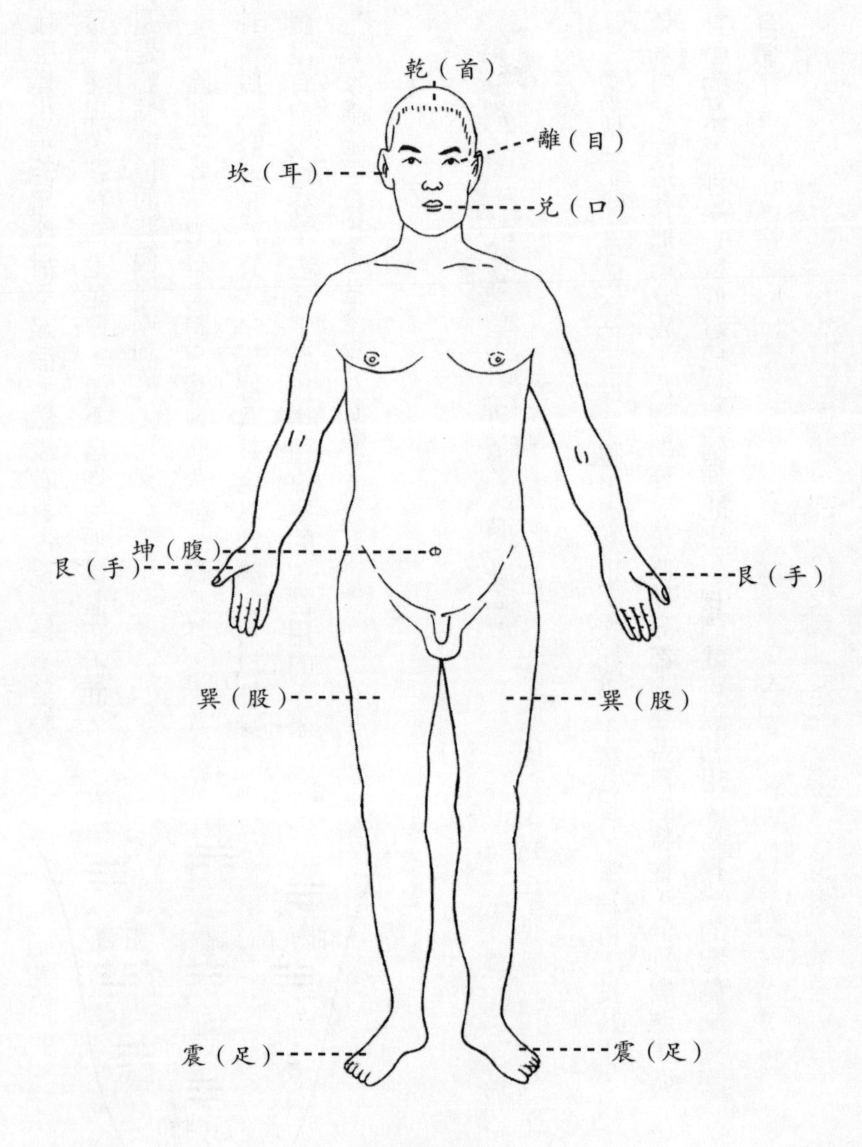

人體八卦配屬圖

頭等大事——養護健康的頭髮

乾卦為首，也就是頭。乾是太陽之卦，火力旺盛，所以作為乾之象的頭部是陽氣最充盛的地方。那麼怎麼證明它是至陽之體呢？冬天的時候我們的手要戴上手套，不然會凍傷；耳朵有時候也要戴上耳套，不然也會凍傷；有的人還要戴口罩之類的，不然臉也要凍傷。但只有頭頂，這個部位是個例外。

雖然很多人也戴頂帽子，但是我們能明顯地感覺到，頭頂是最耐凍的部位，幾乎沒誰聽說過頭頂凍傷的吧。頭頂只有薄薄的一層頭皮，下面有些網膜組織、血管什麼的，沒什麼脂肪，那它為什麼這麼不怕寒冷？因為在這個至高點上彙聚了我們人身的六條陽經和督脈，這麼多的陽氣蒸騰在上面，像冬天的戶外溫泉一樣，熱氣滾滾，所以它至陽而耐寒。

而人身的毛髮就像地球上的植物。現在很多人為頭髮不夠豐盈而苦悶，卻又不明原因。要想弄明白這個原由，就先要看看植物都是在什麼條件下生長的。我們都知道，沙漠跟冰山是最不易生長植物的，可見最炎熱與最寒冷的地方都不利於生命體的繁衍。人也一樣，大陽大陰的人體環境也不利於我們身體毛髮的生長。

很多人都有一種錯誤的認識，以為陽氣充沛了就好，其實不對。《易經》和中醫最講究陰陽平衡。八卦中的坎卦（☵）代表水，離卦（☲）代表火。但是坎卦中間卻是一個陽爻，離卦中間是一個陰爻，從這裡就能看出來，我們的先人是多麼有智慧，他們已經參透了，只有陰陽互相交融，才是最佳的狀態。什麼地方草木最茂盛？水土豐美的山川跟沼澤。所以當我們人體陽或陰太盛的時候，都可能導致毛髮脫落或不易生長的問題。

西醫是怎麼解釋這個問題的呢？比如男性的毛髮脫落，很多都是跟雄性激素有關的。當雄激素過於旺盛，或不能有效地抑制的時候，就會出現脫髮等症狀。這不就是陽太過的表現嗎？

那我們應該怎麼養護頭髮呢？首先要控制行經頭頂經脈過盛的陽氣，讓它們陰陽協調，其次要保持這些經脈暢通。

養生不只是在書上看到什麼就做什麼，每個人身體都不一樣，我們要學會根據自己的情況去做自己的健康方案。經過這個乾卦的講解，如果大家能

日常生活中的養髮妙方

在日常生活中應該注意：夏天的時候不要讓頭直接曝曬在陽光下，最好打一把遮陽傘或戴頂寬鬆一點的帽子。我在節氣養生中說的枸杞膏，也是很好的食補方。

為了讓頭上的經脈暢通，要時常按摩頭皮。不要用指甲去摳，要用指肚從前到後地按，木梳齒不能太尖，不然會傷到頭皮。

為了刺激頭髮的生長，還可以用生薑擦頭皮。我再告訴大家一個更有效的小做法：把薑切成小丁，搗爛，然後塗抹到頭皮上，再按摩，按到頭皮覺得辛辣為止，但不要太用力，這比用成片的生薑擦效果好得多。生薑是辛、溫的，跟我們前面說的補陰的藥不同，所以這個只能外用。

舉一反三，也學會分析其他卦位的健康問題，那就是養生高手了。

古代養髮方裡一般都有枸杞、龜甲等，這些是補陰的藥；還會有何首烏、當歸，這些是補血的藥物；再就是牡蠣之類平抑肝陽，和西洋參、山藥等補氣養陰的藥物。為什麼用這些藥？血為陰，所以補血也是補陰，我們的主要任務就是要達到陰陽的平衡，靠滋補陰來達到遏制陽的作用。

腹部要柔軟，氣量要宏大

在古代的時候，君為天，臣為地；夫為天，婦為地。我們大都聽說過這樣一句俗語「宰相肚裡能撐船」，而「婦」中的代表人物皇后，則要「母儀天下」。無論是肚裡撐船還是母儀天下，都說明了他們廣納、包容、隱忍的特點。這是坤卦，也是陰爻所具備的特性。

在人體中，腹為坤，但是不要誤以為腹部就大小腸，所以坤就是腸。腹部的容量很大，尤其裡面的腹膜等物質，包裹著腹部的臟器。腹部怎樣是健康的呢？能納物，有彈性，充分發揮它坤卦的特性，這樣的腹才是健康的腹。

行經腹部的經脈很多，手足三陰經都經腹，還有我們的任脈、胃經。除了頭部，就只有胸腹會有這麼多經脈和穴位彙聚了，可是胸部並不適合按摩，因為有肋骨、胸骨和乳房。而我們按揉腹部的時候，卻可以輕而易舉地把這些經脈、穴位都按到，並促進腸胃的蠕動，真是事半功倍。

除了按摩，我們還可以利用腹式呼吸鍛鍊腹部。進行腹式呼吸可以使平時無意識進行的淺、短呼吸變成較深的緩慢呼吸。並且，由於緩慢的呼吸法可以使精神與身體得到放鬆，充分地補充能量，因此，它可以喚醒那些至今仍然沉睡的生命力，使身體與精神重新恢復活力。這種呼吸還可以充分擴充我們的腹腔，使肌肉得到放鬆，肌肉會更容易伸展，具有防止肌肉損傷的效果。

前面說過，我們還要像肚子能撐船的宰相，要有容人、容物、容事的氣量。這跟身體養生又有什麼關係呢？我認識一個小女孩，年紀不大，氣性不小，倒也不是小氣，只是遇到

摩腹保健

晚上要睡覺或者早上剛睡醒的時候，我們可以平躺在床上，兩手疊在一起，用掌心在臍周順時針揉動，慢慢地可以擴展到整個腹部。力度由輕到重，注意手下的感覺以及腹部的感覺。

正常我們的腹是很柔軟的，沒有腫塊，也不會感到疼痛，不會凹陷也不會突出太多，基本上是平的。如果揉按的時候發現有腫塊，要推動它一下，看能不能移動，如果移動性好，時有時無的，可能是糞塊，或腸脹氣、蟲積等所致，如果很疼，還推不動，就得分外小心了。

摩腹是個很好的保健方法。每晚躺在床上要睡覺的時候，最好也摩腹十分鐘，尤其是經常便祕、平時缺少運動、六十歲以上的人，這些人的腹部力量都比較弱，不適合或根本沒時間做大量的運動，而晚上的十分鐘摩腹，是可行的保健方法。

什麼事都憤憤不平。她跟我說肚子總會脹氣，右下腹摸著好像有個腫塊，還挺大。我聽了嚇一跳，小小的年紀，真長了什麼腫瘤，可不是鬧著玩的。她又說腫塊會移動，有的時候也會摸不到。我要她注意觀察，看什麼時候這個「腫塊」會變大，還要注意跟飲食、溫度有沒有關係。

過了一周，她來跟我說：「晚上的時候肚子就會特別脹，尤其是跟朋友在外面玩、回家晚時。我前兩天跟個朋友吵了一架，右邊肚子有些疼，大腫塊有手掌那麼大。」我忍不住笑了，對她說：「你可以上醫院檢查一下，不過我估計不會是什麼實質性的腫塊，可能跟你的胃腸或肝膽有關係。」

她第二天就去醫院做了腹部超音波，結果沒有什麼腫塊，腸脹氣卻很嚴重，還有慢性的闌尾炎。我對她說：「人年輕的時候火氣都盛，人體有各種各樣的氣，有些在胃腸道裡，比如我們吸進來的空氣、血管裡分解出來的氣等等。你愛打抱不平，所謂『物不平則鳴』，這也是正常的，但是要收斂，要涵養，要不然你『生出來的氣』就脹得肚子不舒服了，對吧？」我還告訴她每天晚上摩腹，不要讓肚子受涼，慢慢地，那個「腫塊」也不再困擾她了。

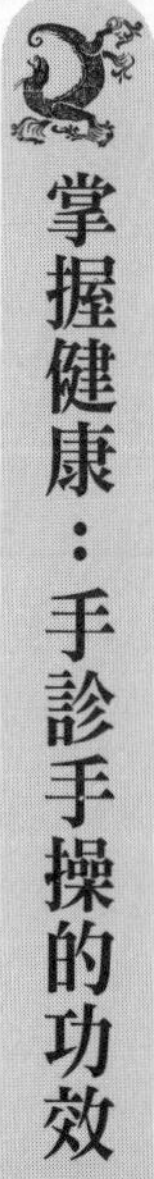

掌握健康：手診手操的功效

手診跟看手相算命完全不同，手診是科學的，在醫療上被廣泛應用，只要不把它玄化、絕對化，就能夠說明我們找到健康的路徑。

手掌也是根據後天八卦來反映身體臟腑特徵的。

手掌上方為離，屬火，代表心；下方是坎卦，屬水，代表腎；左為震、巽位，屬木，代表肝膽；右為兌、乾位，屬金，代表肺；手掌中心也是脾胃，這是因為中為土，在五行裡中就是脾胃的配屬。

常常觀察手，有病先提防

去年我在電視台做一個節目，講有關《易經》的內容，節目錄完後，有一位男士過來跟我打招呼，他四十歲左右，灰黑的膚色，個子很高，看起來很健壯。交談之下才知道，他是一位到處奔波的總經理。他聽說我有醫學的家學淵源，又執教於北京中醫藥大學，就想問我一些健康方面的問題。「我身體肯定沒什麼大問題，我每年都做體檢，還健身，您看我還是很壯實的吧？就是有的時候說不上怎麼回事，覺得莫名其妙地不對勁兒。」他對自己的健康狀況很自信，用他自己的話說，可能就是現代人大多都會出現的「亞健康」問題。當時我不可能給他做什麼檢查，只是跟他握手的時候注意了一下他的手掌。

我對他說：「你脾胃不大好吧？」他笑著說：「這個想也能想出來，我們晚上應酬多，忙的時候又沒空吃飯，不看也知道吧。」我說：「我這麼說可不是憑空揣測，是有根據的。你的腎功能也有些問題。」他追問道：「那您是怎麼看出來的？」我答道：「剛才觀察了一下你的手掌，坎位上的手紋很亂，而且雖然你的手肌肉豐厚有力，但是手紋卻是紅黑色。」我又把他的手掌拿起，指著一條線問他：「這條線以前有嗎？」他想了想，說：「好像有吧，沒怎麼注意過，不過有的話肯定也沒這麼明顯。」我說：「這條線是健康線。」他搶著說：「那我的健康線加深了就說明我身體變好了？」我笑笑說：「正相反，這恰恰說明你的身體狀況變差了。而且你面色灰黑，像你這樣較常坐辦公室的

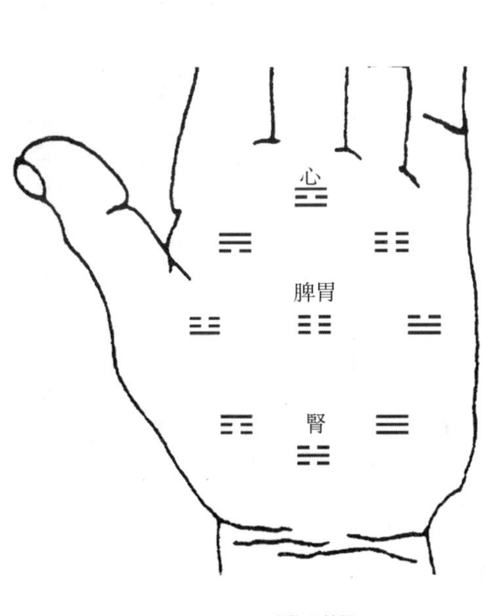

手掌八卦圖

人不可能是曬成這樣的吧。」他很好奇，一個勁兒地要我講講他面色跟健康線的問題。

健康線是跟人體健康密切相關的一條手紋線，一般健康的人沒有這條線，或者很淺、不明顯。如果這條線加深了、延長了，就是身體不健康的表現。像下圖這樣的健康線，起於坎位，直奔坤位，多提示腎和脾胃有問題。而且健康線以不延伸到第一紋上為好。

手診的學問很大，我們只需要掌握基本的方法就可以了。平時觀察時要看掌紋的色澤，最好是紅潤的，如果發黑、發青，掌紋粗糙、亂，就說明該處的臟腑比較虛弱。手掌的肌肉豐厚有彈性的，說明營養好，手薄無肉者則容易體虛。尤其要注意前面提到的健康線，觀察它的變化，可以看到健康的變化和疾病的轉歸。

預防老年癡呆症的手操

有一個朋友跟我講過一件很有趣的事情。

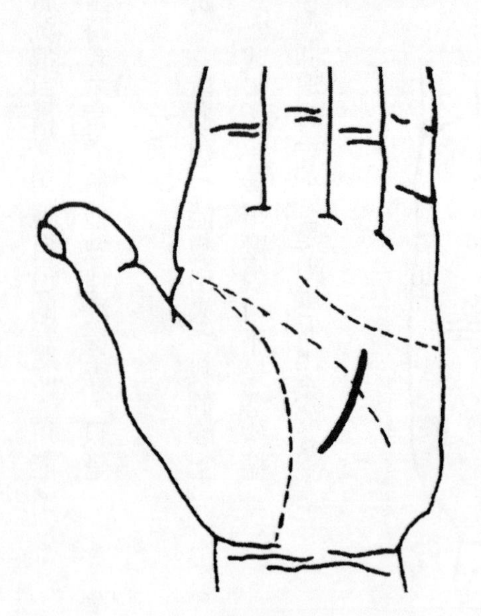

掌紋「健康線」

過年的時候他的女兒為奶奶買了件羊絨衫，老人收到禮物很高興，一個勁地說謝謝，然後背過身去小聲問他：「這女孩是誰家的啊？怎麼一來就送我禮物呢？」他當時真是哭笑不得。他的老母親記憶力不好，已經有一段時間了，而且越來越嚴重，他女兒在外地讀書，這兩年不常回家，以至於奶奶把這位以前很疼愛的孫女都忘記了。

我們通常認為老年人記憶力減退是很正常的，行動遲緩、不愛動，也都是正常衰老的表現，其實很多時候，這都提示的是大腦出現了問題。最難辨的是，這種疾病沒有什麼特效藥，雖然也可以透過藥物來延緩惡化，效果卻也不理想。

最好的辦法就是未病先防。手上的穴位很多，又是很重要的全息元，所以通過運動手、刺激手上的各個部位，可以很有效地防止老年癡呆，對已經得病的人還有一定的康復作用。

我們的五個手指上有很多經絡，除了刺激經絡外，由於按的次數都不同，可以鍛鍊大腦，讓它活躍起來。所以一般用腦工作者患老年癡呆症的人數相對較少，就

手指操

我們可以先用拇指掐按其他四指的指甲，食指二次，中指一次，無名指三次，小指四次。然後再按回來，無名指三次，中指一次，食指二次。順序就是二、一、三、四、三、一、二。

然後一手握拳，去叩擊另一手掌心。掌心上的各個卦象分區可以一一叩到，這樣能幫助強壯我們身體的機能。

是這個原因：大腦經常在用。

我還告訴他多陪老人聊天，跟她說話，老人家也不識字，沒法寫字、讀書，那就多出去找鄰居家的老人玩玩牌。他回去後持續讓老母親做手指操，還幫她按摩，陪她說話，效果很好。這些方法如果能在還沒有症狀或症狀剛剛出現的時候就開始做，那對提高老年人的生活品質，可是功勞至大的。

耳中乾坤：耳診耳療有奇效

「耳者，宗脈之所聚也。」這是《黃帝內經》裡面的話，它說明了耳也聯繫到很多經脈，跟我們的臟腑有著密切的關係。首先，腎開竅於耳，很多聽力方面的問題都跟腎臟有關。其次，「心氣通耳」，刺激心經時可以上傳到耳郭部。除了這兩個經脈外，其他的臟腑之氣也都作用於耳，所以它是一個反映我們全身情況的全息元。而且它是一個絕好的治療點，很多疾病都可以在耳部的反射區施治，且效果良好。

被忽略的簡易治療法

曾經有一陣子，很多小學生、初中生耳朵上都貼著白色的膠布，膠布裡面有一個一個圓圓的小東西，一個外國學生不明白是怎麼回事，我就告訴他，是學生為了治療近視眼而壓的耳豆。

壓耳豆在中國古已有之，根據不同的病，在耳朵上的不同部位貼上大小適中的藥粒，每天進行按摩，就能有效地刺激那個部位，從而達到治療疾病的效果。現在醫院裡仍然有壓耳豆的，老百姓自己在家也有壓的，在家壓時用王不留籽行就可以。

遺憾的是，這種治療法在民間已經不太盛行了，這麼省力、方便又有效果的療法，沒有得到應有的重視，讓人覺得很可惜。所以在這裡我要介紹一下這種方法，再告訴大家一些常見病的耳部防治點。壓耳穴無論大人小孩都可以用，小孩子自己操作也沒有問題，省了家長很多力。

要想應用耳部來治病保健，首先就要知道耳部的八卦劃分。耳部的反射點很複雜，當需要治療具體疾病的時候，就要準確地找到對應點，但是作為養生保健來說，透過耳部八卦的分布進行按摩就可以了。

除了八卦的分區方法，耳部全息點還有更細緻的劃分方法，根據不同的病，大

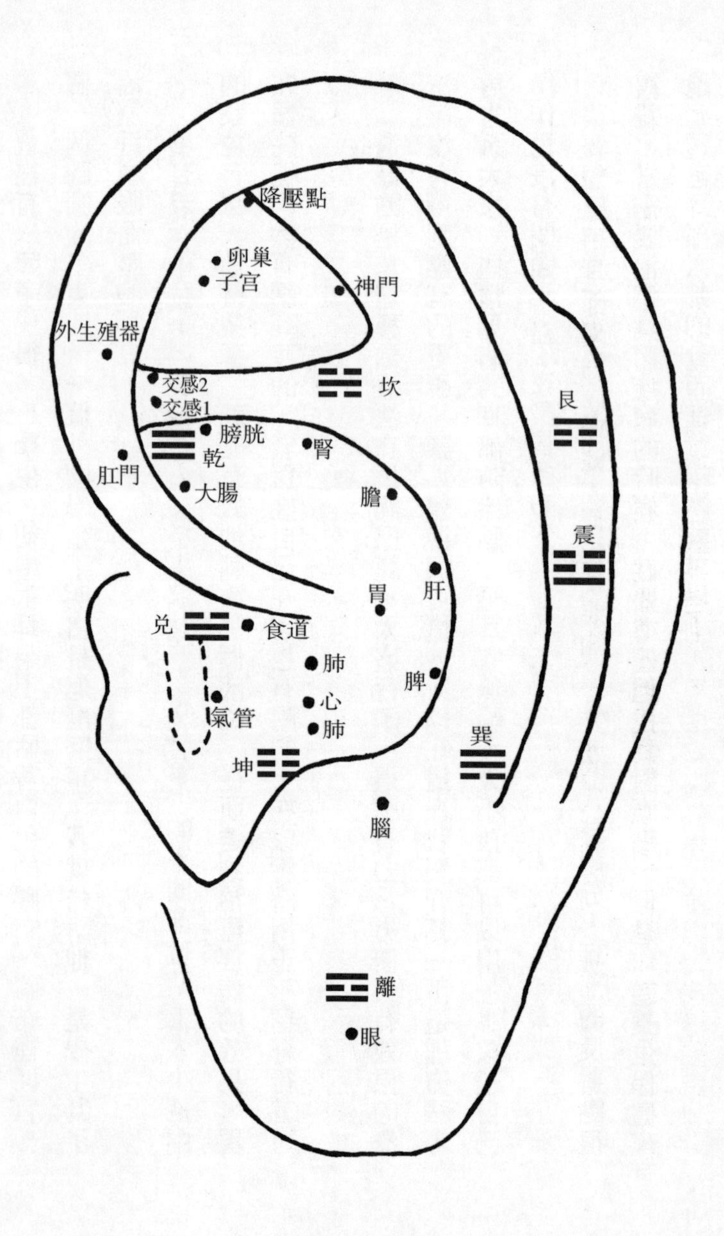

耳穴八卦圖

家可以自己看圖配穴。（關於耳診耳療的方法，已經有很多專家發表了許多相關著作，大家可以參考使用，在此只作簡單講述。）

王不留行的由來

要說到耳部按摩，我們首先就得來說說這個小工具——王不留行。很多人都問過我，這味藥怎麼叫了個這麼奇怪的名字，裡面肯定有什麼故事。很多中藥和人體穴位的名字都有講究，關於這個王不留行，還確實有一個故事。

傳說這藥是藥王邳彤發現的，它有很好的舒筋活血的作用，還有一種很神奇的功效，就是治療產後缺乳。它本是一粒一粒黑色的小球，炒開之後露出裡面白色的絮狀物，不用加別的藥，就是單味煎服都能讓缺乳的婦人狀況好轉。可是這麼神奇的藥，給它起個什麼名字呢？

邳彤是東漢時期的人，是光武帝劉秀手下的一員大將。時值王莽末年，王郎起兵，追殺劉秀，黃昏時王郎來到邳彤的家鄉，要老百姓為他們送飯送菜，還要村民騰出房子給他們住。這村裡的老百姓知道他們是禍亂天下的奸賊，就不太想搭理他們。天黑了，王郎見百姓還不把飯菜送來，不由心中火起，便帶人進村催要，走遍全村，家家關門鎖戶，沒有一縷炊煙。王郎氣急敗壞，揚言要踏平村莊，斬盡殺絕。這時候一個參軍進諫道：「此地青紗帳起，樹草叢生，莊稼人藏在暗處，哪裡去找。再說就是踏平村莊也解不了兵將的饑餓，不如趕緊離開此地，另作安頓，也好保存實力，追殺劉秀。」王郎聽了，才傳令離開了這個村莊。邳彤想到這段歷史，就給那草藥起了個名字叫「王不留行」，也叫「王不留」，也就是這個村子不留王莽、王郎食宿。

五粒王不留，治療高血壓

很多大夫都反映，用壓耳穴的方法治療輕型的高血壓，療效很好。只要選五個點，降壓溝、降壓點、交感、神門、心，基本上就可以了。壓耳穴之前，最好把耳朵先消消毒，然後把王不留行放到剪好的醫用膠布上，貼在這些穴點處。一般貼耳穴都是兩隻耳朵交替，很少有雙側一起貼的，三天換一次比較好。每天至少要按壓三五次，每次五分鐘，有時間的話可以想起來就按按。按的時候要注意力度，我們的耳朵很敏感，尤其對那麼小的一個範圍施壓的時候，通常會感覺很痛。這種痛要自己能接受才行，不是按得越用力越好，我看有些人把耳朵的皮膚都壓破了，這就完全沒必要了。

大家還可以根據自己的情況添加配穴，比如說肝臟有問題的人，平時愛發怒、愛歎氣、有氣憋在心裡不愛說出來、兩肋疼痛……就可以在肝的反應點加貼一粒。同樣，其他地方有問題，都可以根據耳穴八卦圖在相應位置進行按壓刺激。這樣自己給自己開方子，既有成就感，又能及時更換穴位，靈活性提高了不少。

對於有高血壓的人來說，無論用什麼方法治療，比如食療、壓耳穴、按摩等等，都不能代替藥物的治療，所以千萬不能停藥。

柏子仁壓耳治失眠

有一次開學術會議，我結識了一位年紀與我相仿，也是五十歲左右的學者。他老伴去年剛去世，得的是癌症，伉儷情深，自從老伴去世後，他就再沒睡過一個好覺。他對我說，他每天的睡眠絕不超過兩個小時，從他青黑的眼眶我也能看出，他真的被失眠折磨得不輕。更糟糕的是，他對我說：「實不相瞞，自從我太太不在了，我有時覺得，不活在這世上也罷。」

他失眠的情況很嚴重，又有些抑鬱，雖然也吃安神鎮靜藥，但還是不能從根本上改變愈變愈差的狀況。不過好在他對我很信任，我說有一個辦法可以讓他擺脫藥物，同時改善睡眠，他馬上說要試試。

我問他平時排便怎麼樣，他說有些乾燥。我又看了他的舌質，有心火。於是我說：「你喜歡吃松子嗎？」他說：「不常吃，有時候朋友、學生送些，能吃一點，自己也想不到去買。」我說：「在中藥裡有一味柏子仁，和松子差不多，是養心安神的藥，還能通利大便。你這是思慮太盛、心神不安造成的失眠，可以用它來一試。」他好奇地說：「那我每天吃點松仁？」我笑笑說：「不用不用，你願意吃就吃點，不愛吃也不用強求，我要教你的是壓耳穴的方法。」他也跟著我笑起來：「張教授啊，我看都是些小學生治療近視眼的時候才壓那個，我這麼大的人，還總要參加會議、講課什麼的，壓那個不大合適吧。」我說：「治病就是治病，還管多大歲數啊！用過我這個方法的，可是什麼人都有，你要嫌醫用膠布難看，可以把創可貼膠布的那部分剪下來用，跟膚色差不多，別人不會特別留意。」

他聽說用這個方法治好了很多人，精神又來了，問道：「肯定有效果嗎？」我半開玩笑地對他說：「很難說百分百肯定，現在賣藥的還總說有效率百分之九十幾呢，但十個裡總有八個有明顯的效果，全治好的也能有五成了。」他又問：「我以前看別人都是用王不留行，柏樹的子肯定比它大多了，怎麼壓呢？」我說：「你到藥房去買些柏子仁，是曬乾的，一般就三至七毫米大小，你挑些個兒小點的就行。」

治療失眠有三個主穴：神門、皮質下、神衰穴。耳背的失眠穴，心、腎等穴可以作為配穴，這些配穴也要根據自己的情況加以選擇。治療失眠的時候可以兩個耳朵同時貼，一次貼四個穴位左右，貼四天，然後換幾個穴位再貼。比如第一次選了神門、皮質下、失眠、心，下次就可以選神門、神衰、腎，脾胃不好的可以加胃。

像這位學者，他的失眠跟心理有極其密切的關係，所以除了按壓耳穴，我還要他多鍛鍊身體，看看《道德經》，希望他能根本上從那種心靈的痛苦狀態中解脫出來。

開會後的一個月，他打了電話給我，還沒等我問，他就急著告訴我：「現在我一天能睡五個小時了，雖然不像沒患失眠前，但這樣已經很好很好了，尤其是不用到哪裡都帶著安眠藥。我這幾天沒壓，讓耳朵歇歇，過一周再來。你的五心養生法我也看了，人是需要寧靜的，心靜了，才能看清一切，才能釋懷，才能輕鬆快樂。」我聽他這麼說也很高興：「你這就是有效的那部分，雖然不屬於治癒，但失眠還是要慢慢調節的，因為導致失眠的原因太多了。」

明代的大醫家張介賓說：「凡思慮勞倦、驚恐憂疑，及別無所累而常多不寐者，總屬陰精血之不足，陰陽不交，而神有不安其至耳。」這幾句話就交代了失眠的通常病因，跟臟腑功能失調、氣血虧虛、陰陽失調有關。大家還是要好好地辨別一下自己的病因，這樣效果肯定會更好。

第六章

《易經》八卦的經穴按摩法

可以把人體看成一片脈絡分明的葉子。每片葉子都有葉脈，人體也有自己的經絡。

經絡的劃分，是從陰陽蛻變而來，也就註定了它與《易經》的密不可分。

《易經》認為，萬事萬物都是隨著時空變化而變化的。因此，養生也需遵循這一定律。在不同時間，開取不同的穴位，可以取得事半功倍的養生效果。

《易經》與經絡的關係

六位時成，時乘六龍以禦天。——《周易．彖傳》

三才而兩之，故六。——《周易．繫辭傳》

人體就像一片葉子，脈絡分明。正如每片葉子都有主脈和細小的支脈一樣，人也有主要的經脈，和分布於全身各處經脈的細小分支——浮絡和孫絡。經絡是客觀存在的，而經絡的作用卻是人為推導、總結出來的，經絡的命名也是人為概括的，這其中究竟有什麼樣的依據呢？

源於陰陽的經絡劃分

人體的正經有十二條，分別是手部的三條陰經、三條陽經，足部的三條陰經和三條陽經，比如手太陰肺經。那麼，為什麼不直接叫手肺經，而偏要在前面加一個「太陰」呢？這是我們應該考慮的問題。

其實陰陽是中國傳統哲學的基礎，也可以說是中國哲學、文學、醫學，乃至各方面的地基。任何學術要想系統化、規範化，都要找到能夠依託的理論基礎，這樣才能言之成理，也方便歸納、演繹相關的知識。《易經》介入醫的情況跟原因都是多方面的，不能用一兩句話說清；但就經絡的劃分來看，是極力靠近《易經》的，是從陰陽的概念中蛻變出來的。

易之為書也，廣大悉備：有天道焉，有人道焉，有地道焉。兼三才而兩之，故六。六者非它也，三才之道也。

——《周易．繫辭傳》

大哉乾元，萬物資始，乃統天。雲行雨施，品物流形。大明終始，六位時成，時乘六龍以禦天。乾道變化，各正性命。保合大和，乃利貞。首出庶物，萬國咸寧。

——《周易．彖傳》

很多人認為《易經》只有一陰一陽（兩儀）、二陰二陽（四象）、四陰四陽（八卦），沒有三陰三陽，其實是不確切的。八卦由三爻構成，六十四卦由六爻構成，其實就反映了三陰三陽思想，只是沒有對三陰三陽進行完整的命名。馬王堆醫書、《黃帝內經》提出了三陰三陽的完整命名，三陰是厥陰、少陰、太陰，三陽是少陽、陽明、太陽。

十二經脈是三陰三陽各與手、足相配。根據《周易》的《繫辭傳》和《彖傳》來看，這種六爻的位置變化，反映了自然的變化發展，當然也反映了人體經絡的規律。

首先，根據五臟的位置推導出臟腑經脈屬於手還是屬於足；從五臟所處位置可以推知五臟有陰陽之分，心、心包絡、肺屬於陽，肝、脾、腎屬於陰。由於「腰以上者為陽，腰以下者為陰」（《靈樞．陰陽繫日月篇》），手在腰以上為陽，足在腰以下為陰，所以心、心包絡、肺與手相配，肝、脾、腎與足相配。

再看六腑，六腑與五臟相為表裡，「肺合大腸，心合小腸，肝合膽，脾合胃，腎合三焦膀胱」（《靈樞．本臟篇》、《靈樞．本輸篇》）。相表裡的臟腑其陰陽五行屬性也相同，因此與心、心包絡、肺相為表裡的小腸、三焦、大腸皆屬於陽；而與肝、脾、腎相為表裡的膽、胃、膀胱皆屬於陰，於是小腸、三焦、大腸與手相配，膽、胃、膀胱與足相配。

然後，根據自然的三陰三陽推導出人體臟腑經脈的三陰三陽。《黃帝內經》運氣七篇大論指出了年支、六氣、三陰三陽、五行的關係：巳亥之年厥陰風木，子午之年少陰君火，丑未之年太陰濕土，寅申之年少陽相火，卯酉之年陽明燥金，辰戌之年太陽寒水。

根據臟腑陰陽配屬法則，推導出三臟三腑，又可表裡配屬形成三腑三臟，即：

陰木為肝，推導出足厥陰肝；君火為心，推導出手少陰心；陰土為脾，推導出足太陰脾；相火為三焦，推導出手少陽三焦；陽金為大腸，推導出手陽明大腸；陽水為膀胱，推導出足太陽膀胱。

根據臟腑表裡配屬法則，可推導出厥陰肝對應的就為少陽膽，少陰心對應的就為太陽小腸，太陰脾對應的就為陽明胃，少陽三焦對應的就為厥陰心包，陽明大腸對應的就為太陰肺，太陽膀胱對應的就為少陰腎。即形成足少陽膽，手太陽小腸，足陽明胃，手厥陰心包，手太陰肺，足少陰腎。於是十二經脈就有了完整的命名。

十二經脈的命名充分反映了天人相應的思想，在天之三陰三陽互為表裡，在地之三陰三陽亦互為表裡，天地之三陰三陽互為相應，人身與天地三陰三陽之氣相合便形成十二經氣。這真是「人身小天地，天地大人身」啊！

十二經脈命名

十二地支	巳亥	子午	丑未	寅申	卯酉	辰戌
三陰三陽	厥陰	少陰	太陰	少陽	陽明	太陽
六氣	風	君火	濕	相火	燥	寒
五行	木	火	土	火	金	水
手足陰陽	足-陰	手-陽	足-陰	手-陽	手-陽	足-陰
六臟	肝	心	脾	心包	肺	腎
六臟六氣	厥陰	少陰	太陰	厥陰	太陰	少陰
六腑	膽	小腸	胃	三焦	大腸	膀胱
六腑六氣	少陽	太陽	陽明	少陽	陽明	太陽
十二經脈	足厥陰肝經-足少陽膽經	手少陰心經-手太陽小腸經	足太陰脾經-足陽明胃經	手厥陰心包經-手少陽三焦經	手太陰肺經-手陽明大腸經	足少陰腎經-足太陽膀胱經

經絡的構建

經絡分為幾個層次，由主到次，彌漫於人身的各部。

大家最熟悉的可能是十二正經，就是手足三陰三陽經。因為內為陰，外為陽，行走於上肢內側為手三陰經，下肢內側為足三陰經；上肢外側為手三陽經，下肢外側為足三陽經。

其次是奇經八脈，一共八條。分別是督脈、任脈、沖脈、帶脈、陰維脈、陽維脈、陰蹻脈、陽蹻脈。為什麼叫奇經呢？因為它們有別於十二正經。我們都知道十二經脈是上下行走的，而它們行走不像十二正經那樣規律，如帶脈就像一條腰帶似的，環繞在腰的周圍，而又與奇恆之腑——腦、髓、骨、脈、膽、女子胞相關，對於治病保健有特殊的作用和療效。

十二正經還有分支，從正經上分離出來，深入體腔，是正經的支脈，這些就是十二經別。正經能濡養到的筋膜體統叫十二經筋。經氣散布所在，能反映正經功能活動的體表部位是十二皮部。

除了經脈還有絡脈。人體有十五條大絡，分別從十二正經、任督兩脈分出，還有一條脾之大絡。此外還有從這些絡脈分出的、分布於淺表部位的浮絡和細小的孫絡。這些細小的絡脈就像我們的毛細血管一樣，又多又密集。

除病如拈花的飛騰八法

人生無非是少壯老病已的時間流程，其實這也是《易》的精華所在。易也就是變，人從出生開始，繼而變長，繼而變老；自然也是由春而夏、由夏而秋、由秋而冬的不停的節序變化。《黃帝內經》多次提到了四時與五臟的關係，認為五臟的功能與自然界四時陰陽的消長變化是相通的。

《易經》認為，萬事萬物都是根據春夏秋冬的變化而變化的，而四時的變化又是由日月運行所致，也就是宇宙錯綜複雜的運行導致了現在地球的寒熱冷暑，給了我們二十四小時晝夜一循環的時間模式。而我們從出生開始，就在這樣一種環境中生存、繁衍，每一個細胞都深深地烙刻著宇宙給我們定出的時空規律，要想健康，就只能順著這個規律前行，與自然、與萬物、與宇宙行走在同一線上，這就是養生的根本。

而中醫經絡理論中與時間聯繫得最密切的，莫過於子午流注取穴法、靈龜八法和飛騰八法了。就養生保健來看，最適合我們日常應用的是飛騰八法，它需根據不同的時間，開取不同的穴位，從而達到治病保健的作用。

大家可能會覺得有點難，因為需要根據時日干支來計算，但其實所取的穴位一共只有八個，且算法並不複雜，所以只要稍加學習就都可掌握。飛騰八法在現代中醫治療中應用也很廣泛，有很多醫家擅用且慣用它來治療疾病。

飛騰八法的取穴法

如果想利用飛騰八法來按摩保健，我們只需要知道當天的天干和當時的地支就可以了。日的天干可以查萬年曆，現在的電子年曆上一般也都有。時辰則可對照下表。

其實老中醫在用靈龜、飛騰等方法取穴的時候，都是自己算出來當天和當時的天干地支的，但我們沒有必要學那麼複雜的算術公式。我再給大家幾個表，只要對照著查看就可以了，省去了計算的步驟。

地支時間對照表

時辰	俗稱	時間
子時	夜半	23:00～01:00
丑時	雞鳴	01:00～03:00
寅時	平旦	03:00～05:00
卯時	日出	05:00～07:00
辰時	食時	07:00～09:00
巳時	隅中	09:00～11:00
午時	日中	11:00～13:00
未時	日映	13:00～15:00
申時	哺時	15:00～17:00
酉時	日入	17:00～19:00
戌時	黃昏	19:00～21:00
亥時	人定	21:00～23:00

八穴八卦天干配合表

壬甲	丙	戊	庚	辛	乙癸	己	丁
公孫	內關	足臨泣	外關	後谿	申脈	列缺	照海
乾	艮	坎	震	巽	坤	離	兌

甲己日

甲子	乙丑	丙寅	丁卯	戊辰	己巳	庚午	辛未	壬申	癸酉	甲戌	乙亥
公孫	申脈	內關	照海	足臨泣	列缺	外關	後谿	公孫	申脈	公孫	申脈

乙庚日

丙子	丁丑	戊寅	己卯	庚辰	辛巳	壬午	癸未	甲申	乙酉	丙戌	丁亥
內關	照海	足臨泣	列缺	外關	後谿	公孫	申脈	公孫	申脈	內關	照海

丙辛日

戊子	己丑	庚寅	辛卯	壬辰	癸巳	甲午	乙未	丙申	丁酉	戊戌	己亥
足臨泣	列缺	外關	後谿	公孫	申脈	公孫	申脈	內關	照海	足臨泣	列缺

丁壬日

庚子	辛丑	壬寅	癸卯	甲辰	乙巳	丙午	丁未	戊申	己酉	庚戌	辛亥
外關	後谿	公孫	申脈	公孫	申脈	內關	照海	足臨泣	列缺	外關	後谿

戊癸日

壬子	癸丑	甲寅	乙卯	丙辰	丁巳	戊午	己未	庚申	辛酉	壬戌	癸亥
公孫	申脈	公孫	申脈	內關	照海	足臨泣	列缺	外關	後谿	公孫	申脈

比如這一天的天干是甲，中午十二點，也就是午時，我們就可以到「甲己日」的表格中找到「庚午」，「庚午」下面是「外關」，也就是說要取外關穴。這樣只要先查一下當天的天干也就可以了，其他都可以對照著我們的表格來查詢。

用八個穴位養護全身的健康

我們利用時間所取的這八個穴位，在醫學上叫八脈交會穴。它們是內關、公孫、後谿、申脈、外關、足臨泣、列缺、照海，為十二經脈與奇經八脈相通的八個穴位。雖然穴位不多，但是作用卻很大，能治療很多疑難雜症，這些穴位都位於手腕和腳踝部位，自己都能輕鬆按摩。

除了按時間取穴外，這八個穴位還可以兩兩相配，構成四種關係，利用這種配穴方法，能取得更好的保健效果。有一首歌訣，說明了它們的作用：

公孫沖脈胃心胸，內關陰維下總同。
臨泣膽經連帶脈，陽維目銳外關逢。
後谿督脈內眥項，申脈陽蹻絡亦通。
列缺任脈行肺系，陰蹻照海膈喉嚨。

再精練一些，就是「公孫內關胃心胸，臨泣外關目銳逢。後谿申脈內眥項，列缺照海膈喉嚨。」這把它們最擅長治療的部位都說清楚了，如果有哪方面的疾患，就可以根據這個進行按摩治療了。

內關配公孫，解放胃、心、胸

一位醫生朋友曾對我講過他的一個病例。有位五十多歲的病人，總是腹痛、腹瀉，在醫院做了檢查，但又沒發現胃腸道有什麼異常。病人最不能理解的就是這種情況，到醫院花了很多錢，檢查了一大圈，又不能得到一個可以信服的結果。最後這位醫生只能給他開點常規的止瀉藥，解決不了什麼實質性問題。

我聽了以後覺得，這種西醫查不出所以然的病症，最適合用中醫的方法來治療，就跟他說可以試試點穴按摩法。他不以為然，覺得光靠按摩根本不可能解決這麼頑固的腹瀉症。我把具體的穴位和治療方法寫在紙上，讓朋友在病人複診時交給他，然後找一個可靠的按摩診所，按方治療，如果自己感興趣也可以在家自己做。朋友也想在這個問題上弄個明白，就欣然同意了。

一周後，朋友打來電話說：「已經治了一個療程啦，可沒你說的那麼神奇。」我說：「他病了半年了，又不配任何藥物，只是按摩，時間當然要長一些了。」又過了一個月，我偶然又想到這件事，就問他：「你那個患者怎麼樣了？」他說最近比較忙，過幾天再告訴我。又等了一個月，有一天他來找我，興沖沖地說：「神了，居然好了。怎麼可能呢？」「病治好當然可能，但也不是一朝一夕的，他從治療到現在已經九個療程了。」

我為他開的處方其實也很簡單，先點按腹部的天樞、水分兩穴。腿部的足三里按揉兩百下左右。背部的膀胱經，也就是脊柱旁一寸半，在腰到骶骨的這段膀胱經上有大腸俞、關元俞、小腸俞和膀胱俞等穴位，在這些穴位上點按揉；如果是在家做，穴位找不太準的話，也可以就在這段經線上按揉，不用找具體的點。還有就是根據飛騰八法，如果當時可以開內關穴和公孫穴，就加按這兩個穴位。注意這兩個穴位最好同時加，也就是說如果當時能開內關，最好也加按公孫，它

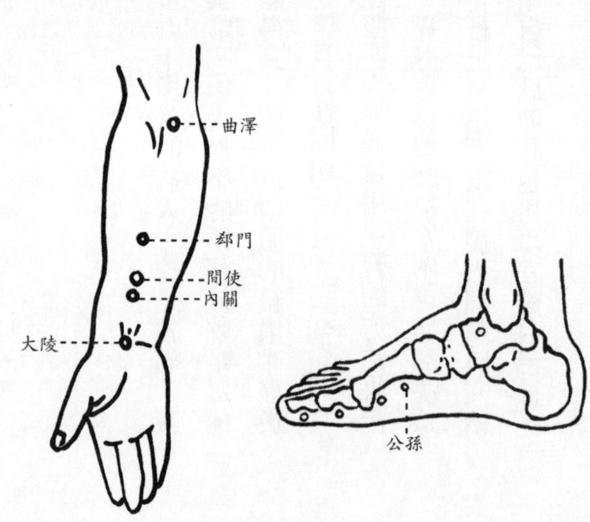

內關穴、公孫穴

們相配效果會更好。

前面說了，公孫和內關在治療胃、心、胸方面的疾病時都很好用，所以像心悸、胃炎、胃潰瘍、氣管炎等，都可以用它們來治療。像這位病人一樣，只要持續，即使是頑固的病症，也可以取得滿意的效果。

後谿配申脈，保護眼和頸

後谿是督脈和小腸經的氣血會合處，能治療失眠和頸肩疼痛。申脈是膀胱經的穴位，能疏經活絡，對失眠、煩躁也有很好的療效。這一上一下兩個穴位關聯在一起，相輔相成。

「經脈所過，主治所在。」像膀胱經，會經過我們的肩背，所以在這樣部位的病症最好選這兩個穴。我就舉一個我自己的例子，我們一起看看，八脈交會穴的作用到底有多大。

幾年前，有一次早上醒來的時候，我把兩隻手臂都伸過頭，想在起床前拉伸一下，可是當時沒用好力，這一抻可不打緊，右邊肩關節處就聽嘎嘣一聲，頭就完全不能動了。只要稍稍動一點，整個脖子和右肩就疼得不得了。大家可能都有落枕的體會，我當時這種痠痛感覺就有點像落枕，但又比落枕嚴重得多。

家裡人趕忙把我扶起來，想帶我去醫院，但到醫院有什麼辦法呢？無非是按摩、打針、吃藥，而且不大可能馬上緩解疼痛。早上又有課，我也不敢耽誤太多的時間，就只好讓家人幫我「現場急救」。當時是丙日卯時，我一算正是開後谿穴，就請家人幫我先在肩頸部輕按了一會，疏通一下筋骨，放鬆放鬆脈絡，然後點按後谿和申脈，每穴兩百次左右。再在肩頸部一邊讓他們幫我加力按揉，一邊轉動自己的脖子，慢慢地，脖子能動了，半個小時後雖然頭向右轉九十度時還會疼痛，但已經不影響我去上課了。

第二天辰時，也就是早上八點多，又用前一天的辦法按了一遍，到晚上的時候，症狀基本上都消失了。

這可比打針、吃藥效果好得多了，關鍵的是，在家就可以做，只要半個小時，如果去看醫生，半

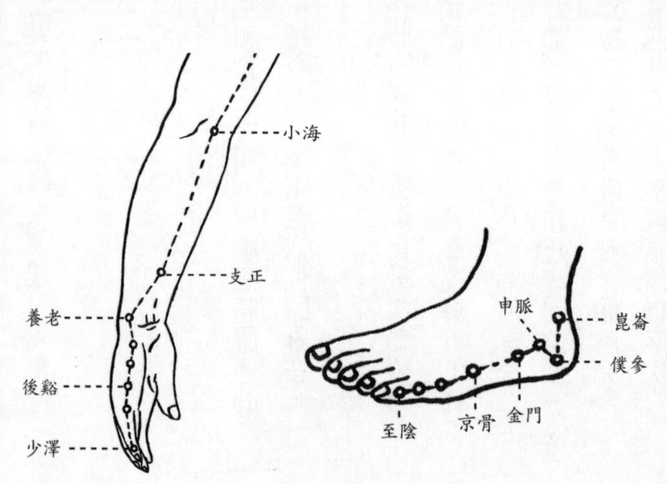

後谿穴、申脈穴

個小時可能才剛到醫院。這個後谿配申脈的方法大家都應當掌握，一個人一輩子誰沒落過枕，沒扭到過脖子、肩膀什麼的呀，如果知道了這個方法，豈不是可以減少很多痛苦？

除了最常見的落枕等，還有眼部疾患、頸椎病，都可以找適當的時間開後谿、申脈來治療。按的時候要耐心，有的朋友性子急，一個穴位只按幾十次，這是不行的，在兩百到四百次效果比較理想。除了按時取穴，還要活動，按摩病痛部位的肌肉、關節，做到充分的放鬆和治療。

外關足臨泣，給你好肩背

外關是手少陽三焦經的絡穴，對發熱、疼痛療效顯著。臨泣就是指足臨泣，我們看看這個穴名，臨有臨近、對著的意思。從這個名字中，我們很容易想到迎風流淚。臨泣是少陽膽經的穴位，穴如其名，它對眼部的疾患確實有獨特的治療效果，還能治偏頭痛、牙痛等。

外關屬震卦，震卦在臟腑為肝，開竅於目；臨泣屬坎卦，坎在臟腑為腎，開竅於耳。單從八卦配屬來看，外關配臨泣，對眼睛和耳朵方面的病症就應當有特效。

現代人的生存環境從某種程度上說，可是比以前的人惡劣多了。不但有空氣污染、水污染，還有光污染、噪音污染。所以許多在以前不常見的病，現在都見怪不怪了。

有很多人總會跟我說一些他們的感受，「我有時候能聽到一些奇奇怪怪的聲音，跟在海邊聽風似的」，或是「這些天感覺心神不寧，大冬天的，耳邊總像有蟬叫」。這些其實都是耳鳴的表現。《外科證治全書》說：「耳鳴者，耳中有聲，或若蟬鳴，或若鐘鳴，或若火熇熇然，或若流水聲，或若簸米聲，或睡著如打戰鼓，如風入耳。」

耳鳴的原因有很多種，比如像前面說到噪音的影響，腎精虧損、恐怒傷肝、氣血虛弱等等。雖說這不是個要命的病，但讓很多人苦惱無比。尤其是夜深人靜的時候，越發感覺那聲音鼓噪得厲害，捂耳朵、堵耳朵一

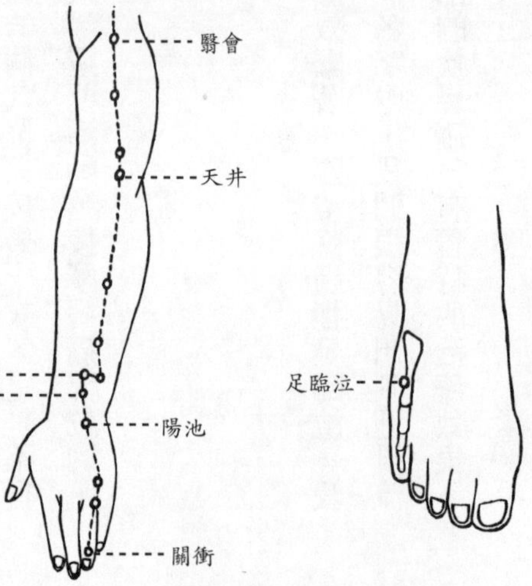

臑會
天井
支溝
外關
陽池
關衝
足臨泣

外關穴、足臨泣穴

點幫助都沒有。

這時我們不妨試試針灸的療法，自己在家時就用按摩代替針灸。治療耳鳴，我們可以盡量在能取外關和足臨泣的時間開穴，除了這兩個穴位以外，最好再根據具體的身體症狀加配別的穴位。比如肝火旺盛的要加太沖穴、俠谿穴等，腎虛的配腎俞。

前面我們還講過耳穴的用法，也可以靈活應用於耳鳴的保健治療，可以在心、內耳、肝、腎、皮質下等地方施壓，兩耳交替，三天換一次。

列缺配照海，喉嚨不再痛

列缺是肺經上的絡穴，祛風止痛，對外感的咳嗽和頭痛效果特別好。照海是腎經上的穴位，能清咽利喉，舒筋寧神，像嗓子疼、失眠、健忘都可以用它。

我們都有過這樣的經驗：感冒時喉嚨發緊，還會覺得疼，說話時聲音嘶啞，嚴重時都不敢跟別人說話。還有一些得了慢性咽炎的朋友，不定期發作一下，喉嚨裡像有小毛刷一樣，又癢又疼，有的人說話還會乾嘔。

列缺配照海就可以很好地解決這個問題。同時還可以按合谷跟三間穴，從合谷向三間推三十六次，合谷跟三間都是大腸經的穴位，大腸與肺相表裡，所以用這個方法可以瀉肺熱。如果有胃熱，可以從陽池穴推到中渚穴，也是三十六次，這可以瀉中焦之熱，胃屬於中焦，也就幫助胃清除熱毒了。

合谷穴其實我們常用，它就在食指下面掌骨靠拇指側的中點；三間在合谷上面，這節掌骨頭旁凹陷處。

豎起手掌，把手向後彎的時候，在手腕處會有一道橫紋，陽池就在這條橫紋上，手臂的兩塊骨頭之間。中渚在它上面，無名指和小指下面掌骨之間，掌指關節下方。

按列缺和照海要按到一百次以上，最好再配合我前面講到的溫水吞咽法。不只是等到喉嚨發生問題時我們才保護，像教師等經常說話的人，應定期做些類似的按摩保健，未病先防才是關鍵。

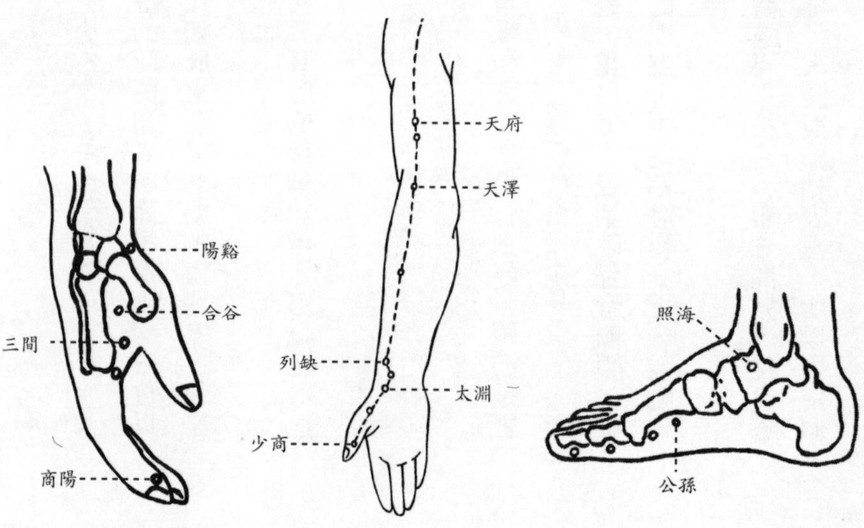

合谷穴、三間穴

列缺穴、照海穴

任督二脈打通，身體自然健康

在經脈中最讓我們耳熟能詳的，恐怕莫過於任督二脈了，現在的武俠影視作品中經常提到它們，好像如果把這兩條經脈打通後，人就脫胎換骨了。也正是由於這種說法多出現在小說和電視裡，這種觀點的可信度也就大打了折扣。實際上究竟是怎樣的呢？這裡重點介紹一下任督二脈，因為對於所有人來說，這兩條經脈是最重要的。

督脈是所有陽脈的統領，任脈是所有陰脈的統領。這兩條經脈非常好記憶，任脈、督脈都起源於胞中（相當於女子的子宮或男子的精室）。任脈從胞中出來以後，經過會陰穴（也就是前後二陰之間），往前往上走經過腹部、胸部，一直到達喉嚨處。然後是環繞嘴唇一周，再繼續往上行走，到眼眶底下散開。督脈從胞中出來後，往後往上沿著脊柱行走，一直到頭頂，然後沿著頭部中線往前往下，最後到上嘴唇的位置。任督二脈還有一些支線運行，只要記住前後主線的循行路線就可以了。

任脈，「任」通「妊」，主管生殖，任脈同時還有一個最大的作用被稱為「陰經之海」。所有的陰脈都彙聚於任脈，它行走在人體前面的正中線。人體的前面為陰，後背為陽，任脈統領所有的陰經。

督脈，「督」有監督的意思，統領人體的所有陽經，被稱為「陽經之海」。所有的陽脈都彙聚於督脈，它行走在人體後背的正中線。

人體有病的話，往往任督二脈不通，所以打通任督二脈對身體健康十分重要。

小周天排出腎結石

一位講針灸學的女教授曾告訴我一件事。她五十歲左右的時候檢查出患了腎結石，結石不大，平時身體的症狀並不明顯。她的生活習慣很好，知道得病後又忌了刺激性的食物，加強了體育鍛鍊，以為就沒事了，可是有一天早上卻出了問題。

「那天早上起來，我去上廁所，排尿的時候突然覺得特別疼，我知道是腎結石的關係。我本身就是醫生，還在學校裡講課，帶著那麼多研究生，要是給這麼一點小病弄成這樣，我可真對不起我自己。因為疼啊，也不便移動位置，我就坐在馬桶上，開始運行小周天；當運行到第五十個周天的時候，就覺得疼痛部位下移，你猜怎麼著？結石排出來了兩顆。」

她平時在家是經常修煉小周天的，一般人如果想一下子靠這個把結石排出來，也不太可能。但從這個事例中，我們足以領教氣在任督二脈上暢行無阻的威力了。

看到這裡，如果對中醫和道教功法不大了解的人，還真是有點摸不著頭腦。所謂的小周天究竟是什麼？這跟任督二脈有什麼關係？任督二脈到底能不能打通？怎樣修煉這樣的功法？下面就來一一講解。

打通經脈的方法

根據前面對任督二脈走行的介紹，大家可以知道，督脈從腹部出來，經背部一直行到上齒齦。督脈上的最後一個穴位叫齦交，就在上齒齦跟上唇繫帶的連接處。而任脈的最後

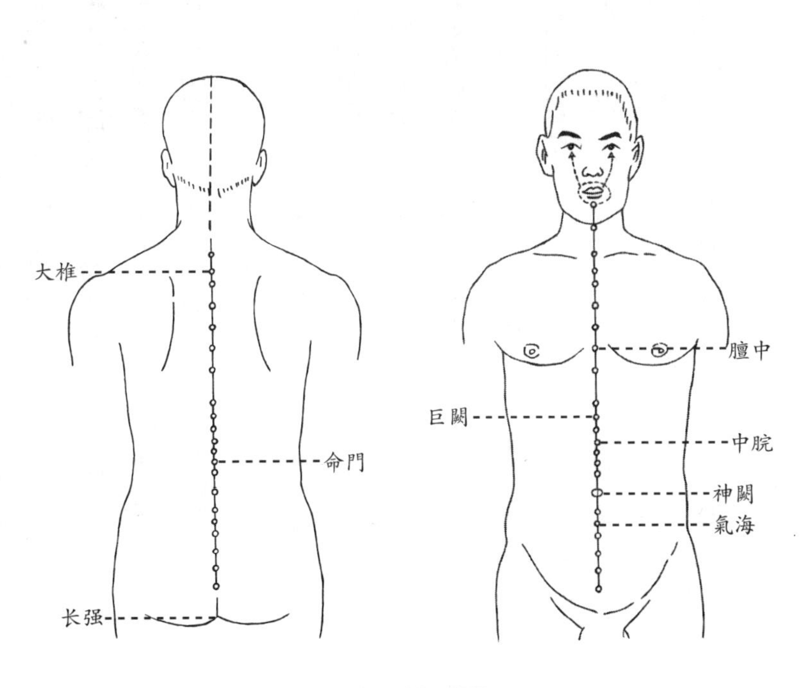

督脈、任脈軀幹部示意圖

一個穴位叫承漿，在下唇中點下的凹陷處。

有人曾經問過我：「任督兩條經脈隔著一張嘴呢，怎麼可能打通啊！」所謂打通，不是要把兩條經脈連接起來，而是精、氣、神這三種生命物質在任督二脈的自然流動。我舉過一個例子，就算我們張開了嘴，嘴中間是空的，但人體的氣、我們的生命物質還存在於這個「空口」內，張開的嘴不是宇宙的黑洞，裡面還有我們的氣。

還有，任脈的最後一個穴位雖然是唇下的承漿穴，但這條經脈過了承漿之後還是繼續上行的，環繞口唇，經過面部，一直到眼眶下。

怎麼煉精、氣、神這三寶和任督二脈呢？主要分三個步驟：第一是煉精化氣，第二是煉氣化神，第三是煉神還虛。在修煉過程中，最基本的功夫叫小周天功，就是在任脈和督脈上煉的。這種功法不但是道教養生修煉的方法，也為很多養生家所接受，我們不妨也試試，把人身最基礎的東西修煉好。

為什麼叫小周天？就是內氣在體內沿任、督二脈循環一周，好比地球自轉一周，即晝夜循環一周。內氣從下丹田出發，經會陰，過肛門，沿脊椎督脈通尾閭、夾脊和玉枕三關，到頭頂泥丸，再經過上丹田，下行至舌尖，與任脈交接，沿胸腹正中往下到中丹田，到下丹田，循行一周。前面下，後面上；任脈氣要往下走，督脈的氣要往上行。因為前面為陰，陰是主下降的；背面為陽，陽是主上升的。這樣往復循環。如果能把任脈、督脈打通了，就叫打通小周天。

在《黃帝內經養生全解》一書中我曾經講到過小周天的修煉方法，現在再重複一遍，希望為更多人所接受。

第一步，調形，就是調身，把身體的姿勢調整好了。

坐在椅子的前三分之一處，兩腿與肩同寬，自然垂放在地上，兩手四指交疊，勞宮穴相對，拇指相接觸，放在下丹田的下方；頭正，頸鬆，含胸拔背，胸要微微地內收，背要挺拔；下頜內收，頭不要抬起，兩眼先平視，然後微微閉上。

第二步，調息，就是調整呼吸。調呼吸的時候要注意，只關注呼氣，不要關注吸氣。呼氣的時候氣往下行。先煉前面的任脈部分，打通任脈，氣往下行，不要管吸氣，自然吸氣，氣慢慢下行。

首先讓每次呼氣都呼到中丹田、膻中穴的位置。隨著呼氣，每呼一次氣下行到中丹田一次。這樣，中丹田慢慢地會有感覺了。中丹田微微發熱，有氣感了，再繼續往下煉。隨著呼氣，氣下行到下丹田。下丹田隨呼氣和吸氣自然地收縮、隆起。先有意地去加大腹部的收縮、隆起，隨著下丹田的氣感增強，就不要再用力了。最後是自然而然地呼吸，不要刻意關注。

第三步，調神。其實調神貫穿於修煉內丹功的全過程中。首先一開始要排除雜念，心神清靜，然後集中意念。當氣行到下丹田時，意念想到下丹田的位置微微地發熱；然後，再意想下丹田裡的精氣在慢慢地轉動，精氣充滿下丹田，充滿整個腹部，然後慢慢地溫暖，慢慢地發熱，並越來越熱。下丹田精氣充滿、溫熱要經過很長時間的修煉，因人而異。有的人快，七天就差不多了；有的人比較慢，要幾個月。

下丹田有氣感，非常重要。只有等到下丹田有了很強的氣感以後，才能接著往後煉，沿著督脈開始往上行走；氣行走到下關，也就是在命門穴和陽關穴之間，這個位置也微微地發熱了；有了氣感以後，繼續往上面煉，煉到中關也就是夾脊穴的位置。這個位置有氣感了，再繼續往上煉，就到了上面的上關，也就是玉枕穴的位置。這裡有氣感了，再繼續往上到頭頂——百會穴；從頭頂百會穴繼續往下，先到上丹田，上丹田兩眉之間微微地發熱，發脹；上丹田有了感覺，繼續往下行，這樣，又過人中跟任脈連在一起。像這樣不斷地循環，就打通小周天了。

要注意，練習時，如果沒有感覺，不要著急，也不要緊張，這都是自然而然的。可以加上一點意念，隨著鍛鍊程度的加深，慢慢地自然會有感覺，尤其是到後面督脈的時候，真氣就會自然而然往上升的。並且，每過一個關都有一定的反應，有這種反應的時候也不要緊張，只要不是刻意地去用力，那麼就自然可以打通小周天。

所以煉內丹小周天功要把握火候，先可以用點力，加上一點意念；但用力不要過猛，意念不能太強，然後就似想非想、似守非守，慢慢地就不要刻意去意想、不要用力了。最後是自然而然，真氣在任督二脈中自然運行，這樣才是真正打通了小周天。人一旦打通了小周天，可以達到很好的保健作用，就能身輕體健、健康長壽了。

起死回生的人中穴——陰陽交匯之泰卦

為什麼叫人中

人中又叫水溝、鬼客廳、鬼宮、鬼市，而最為人熟知的恐怕是「人中」這個名字了。天居上，地居下，人居於中央。從我們的頭部來看，兩隻眼睛，兩隻耳朵，鼻子有兩個鼻孔，這六個孔竅正好構成了坤卦（☷）——六孔好似三個陰爻中的六小橫。人中以下是一張嘴。

人體還有什麼孔竅呢？就是下體的前陰和後陰。口和前後陰不像眼、耳、鼻，它們都是單個的，這就好比乾卦（☰）中的三個陽爻。所以這也就合成了《周易》中的一個卦──泰（䷊）。在乾卦和坤卦合成的泰卦中間，就是人中穴，這也正符合人居天地之間的自然狀況。

道家認為，舌抵上顎，口中津液下行滋潤喉嗓，潤澤臟腑，而人中就是津液返轉下行之處，所以又叫水溝。

泰卦是地在上、天在下，所取的正是陰陽交泰、天地交合的意思。地為陰，陰氣下降；天為陽，陽氣上升。恰好上下交通了，交合了，所以就康泰。人中這個穴位正是任督兩條經脈交合的地方，任為陰經之海，督為陽經之海。一個人昏厥時，就是陰陽不溝通了，隔離了，所以掐這個地方，就是讓陰陽之氣溝通、交合。

需要急救，莫忘人中

人中穴在人中溝的上三分之一處，屬督脈，督脈統領諸身之陽；而人中穴處又正好是任督二脈交會的地方，所以能交通陰陽二氣，行氣血的功效顯著，因此歷來為急救之要穴。

生活中難免發生些緊急情況，比如夏天中暑暈倒了，低血壓或高血壓造成的昏迷，疼痛導致的暈厥，以及一氧化碳中毒等，都可以用它來急救。用手指掐人中是最方便的辦法，一般是用拇指指尖用力掐按穴位。但要注意，如果指甲太長就不適合這麼做，而且根據情況的不同，力度也要適中，一般的昏厥不需特別用力，不然會傷害到皮膚乃至下面的齒齦。

治腹痛的新方法

人中穴除了這個大家都知道的作用，其實還有很多功效，比如它治療腹痛的效果也很神奇。

前些年有位老鄰居，六十來歲，因為跟兒媳婦吵架，氣得當場就暈了。送到醫院搶救了過來，但就是說肚子疼。醫生給她做了檢查，也查不出有什麼實質性的病變，只能開些藥，讓她回家觀察；但老人家疼得很厲害，有時在走廊裡都能聽到她痛苦的呻吟。

我買了些水果去看她，她讓我用中醫的法子給她看看。我只能診了診她的脈，很弦細，就像書上說的，「如按琴弦」。她的脈細，又繃緊著，輕按的時候覺得有些無力。我叫她張開嘴，她的舌苔很白。這些都是明顯的肝氣鬱滯的表現。我安慰了她一陣，讓她凡事想開，但這也不能馬上解決她那難忍的疼痛。

看到她這樣痛苦，於是我說：「要不我用幾個穴位給您治治看？」她馬上說好，我就在她的合谷、太沖兩穴上用較重的力道按揉了一陣。這兩個穴位都是止痛的要穴，太沖又是疏解肝鬱的要穴，但效果並不大。我正納悶的時候，突然想起一位針灸大家記載過的一個醫案，就是用人中穴治療脘腹氣痛的。於是我又加按了她的人中穴，一試之下，果然靈驗，疼了幾日的肚子馬上老實了。這是我第一次實證人中止痛的療效，名不虛傳。

她親戚中正好有針灸醫生，我就告訴她，請她親戚每天給她針灸一下，取的穴位就是人中、合谷、太沖，加配足三里、內關等。針了一周，這個腹痛的毛病就沒再犯了。

正如我們前面所說，人中在《周易》裡屬泰卦，有強效的轉危為安的功效，它又是督脈上的穴位，是手陽明大腸經、足陽明胃經與督脈之交會穴，所以是治療胃腸氣痛的要穴。如果真是氣性大的人，被氣得胃腸兩脅疼痛的話，可以自己在家掐按人中等穴位，就像我給鄰居治病的方法一樣，可以讓鬱滯的肝氣變得平和，也可以梳理胃氣，從而行氣止痛。

第七章

《易經》養生卦的關鍵點

《易經》六十四卦的規律，從某種意義上來說，也是養生的規律。在六十四卦中有幾個卦與養生關係特別密切。

身體的健康與否，不僅僅只是跟疾病侵襲、外傷損耗有關，更與每個人的生活息息相關。所以養生養的是「生」，而不僅僅是「身」。而《易經》中的養生卦，揭示生活與疾病的關係，充滿了貼近生活的養生智慧。

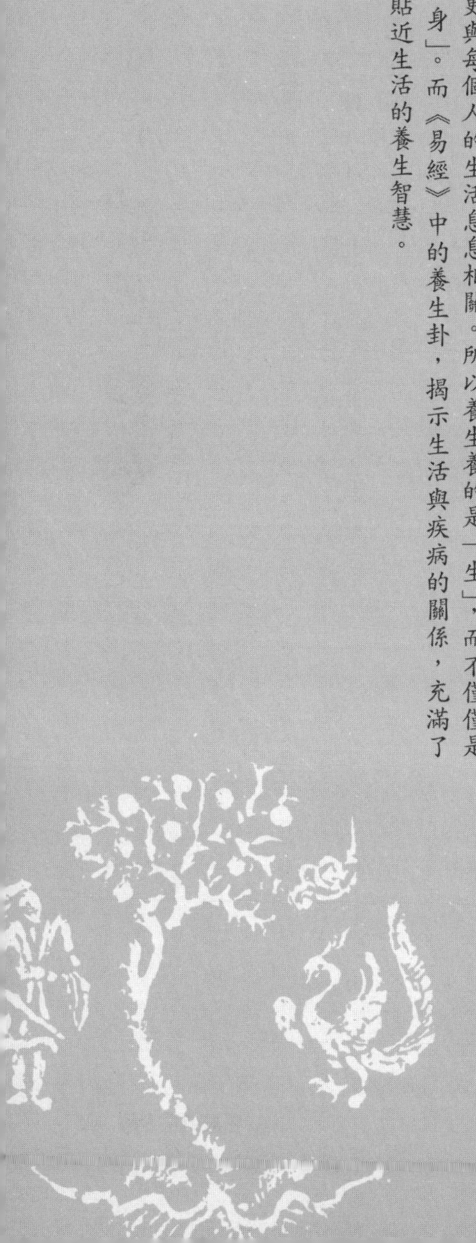

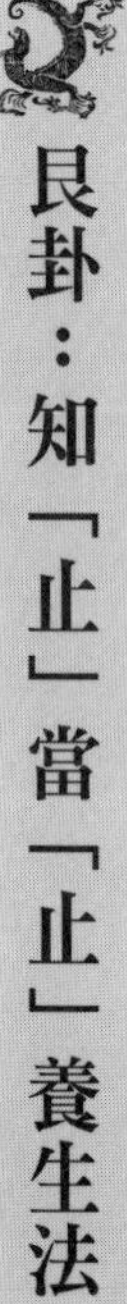

艮卦：知「止」當「止」養生法

從腳到頭話艮卦

艮，艮其背，不獲其身。行其庭，不見其人，無咎。
初六，艮其趾，無咎，利永貞。
六二，艮其腓，不拯其隨，其心不快。
九三，艮其限，列其夤，厲熏心。
六四，艮其身，無咎。
六五，艮其輔，言有序，悔亡。
上九，敦艮，吉。

——《易經》

六十四卦中的艮卦是由兩個純艮疊加而成。艮為山，這是兩座山堆疊而成的卦，山沉穩而不動盪，牢固而不遷移，這都是要說明靜止的重要性。第一爻中說「艮其趾」，停住腳趾的運動，就不會有災禍，有利於守持正道。第二爻中說「艮其腓」，停止腿部的運動，不能隨著上位一起運動，心裡覺得不暢快。第三爻說停止腰部的運動，如果運動過度裂開了腰脊的肌肉，危險就像火一樣熏烤著自己的心。第四爻說，停止身體的運動，一定沒有災禍。第五爻說停止嘴巴的運動，不妄語，說話條理清楚就沒有悔恨。最後的第六爻說以敦厚的品德制止住邪欲，就會大吉。

佛家所說的「戒、定、慧」其實都和止有關。戒是約束我們這顆心，不要起貪欲等念；定是定於正念，不要轉，不要搖曳，不要擅改；慧是由戒和定之後生出來的，有慧了才能作出正確的判斷，才能修成正果。這都是說要把心靜下來，不讓它自由馳騁，要知道在什麼地方停止下來。

老子《道德經》說：「知止不殆。」許多人往往以為人生只需要勇猛精進、勇往直前就足夠了，其實這是對事物規律和人生態度的誤會。事物總是動靜相生，難易相成，動靜不失其時，當止則止，時行時止。

除了佛道兩家，儒家也講「止」，《大學》中說：「知止而後有定，定而後能靜，靜而後能安，安而後能慮，慮而後能得。」它的中和觀其實就是說凡事不要過，要在適當的時機、適當的地方停止，「止於至善」。

由此可見，「止」是我們傳統哲學和修養的廣泛基礎，也是養生修心至關重要的一步，不但要認識它的重要性，更要找到方法來修煉它。

「止」是養生第一步

《艮卦・彖傳》上說：「艮，止也。時止則止，時行則行，動靜不失其時，其道光明。」當行的時候就行，當止的時候就止，這就是「止」的道。

那究竟要止什麼呢？《黃帝內經》曰：「上古之人，知其道者，法於陰陽，和於術數，飲食有節，起居有常，不妄作勞，故能形與神俱，而盡終其天年，度百歲乃去。」

止，首先要止在飲食上。飲食是人類賴以生存、保持健康的重要條件之一。需卦九五爻說：「需於酒食，貞吉。」這是說，人處在佳位時容易沉湎於飲食宴樂，因此，不忘危險、守住正道才能吉祥。人是需要服食酒食的，但不能「困於酒食」，故要達到「酒食貞吉」，必須「節飲食」。若飲食不節、暴飲暴食，超過機體的代謝能力，便嚴重損害脾胃，影響健康。《黃帝內經》有忠告：「飲食自備，腸胃乃傷。」「內傷脾胃，百病皆生。」

其次要「起居有常」，作息要有規律。身體是有記憶力的，比如每個人都有生物時鐘，在一個時間如果總做一件事情，久而久之身體就會自動執行這個指令。總是早起的人，就是你要他多睡也不太可能，到那個時間他自己就醒了。所以作息時間不能常變，尤其是大的變動；而且，這個時間要是有利於身體健康的。比如在晚上十一點之前上床睡覺。

最後，「不妄作勞」。人的精神、才智、氣力都是有限的，不要做自己力不能及的事情，更不要做無用功。當止就止，止在自己能力的範圍內。諸葛亮的才智不謂不高，精神不謂不足，但是偌大一個蜀國，都加在他的身上，血肉之軀是不能肩負起這麼沉重的負擔的，所以他也只能燈枯油盡，「出師未捷身先死」。我們平常人就更是如此，承受過多的壓力，承擔過多的工作，都會對身心造成傷害。平淡、從容地生活，這是養生的條件之一。

修督脈煉氣血

「艮其背」是養生修煉中的一個重要問題。止於背，背部有什麼呢？有人體的一條經脈——督脈。止於背是把意念止於脊背督脈和命門穴。督脈有調節陽經氣血的作用，故稱為「陽脈之海」。

我們可以想像一下，人體有很多細小的浮絡、孫絡，裡面充溢著很多陽氣，這些遍布全身的陽氣要彙聚於像河流一樣的手足三陽經。而督脈是陽脈之海，這樣一來，我們的脊背上得有多少陽氣啊！因此從古到今，講究養生的人都注重督脈的修煉。

最著名的修煉方法要數道家的小周天。我在前面也提到過小周天，實際上也有很多朋友在不同程度上利用它來養生保健。

「周天」就是一個循環。一個圓，它有一個圓周，是不間斷的，不知道哪是開始哪是結束。小周天就是氣在任督二脈循行，使這兩條經脈形成一個通路，沒有障礙，氣暢通無阻，身體則強健。還有大周天，是指氣在全身經絡的大循環。

如果氣能在這些經脈周流無阻，人體就會健康。因為氣可以行血，它走到哪裡，就可以帶動哪裡的血，人體的血液就會充溢，就會流通得順暢。比如我們運動以後臉會紅，有的人全身都會發紅，這是氣血上湧的表現。所以運動會帶給人健康，因為氣血都活動開了，都活躍了。

我們有很多病症都跟淤滯有關，血液黏稠，血黏流動得就慢，附著在血管壁上，久而久之容易形成血栓。氣滯血淤，身體還會疼痛，因為在那個淤滯的部位不通暢，不通則痛。氣滯血淤的時間長了還會化火、化熱。繼而會影響津液的輸布，導致水停、生痰等。氣血阻滯了，不能前進，還可能會倒行，向前走不了就後退。

我們吃進去的食物應該是從胃到腸，但是胃氣上逆的時候就可能吐出來，雖然我們看不到這個氣，但是從這個現象就能知道氣有多大的力量。更嚴重的氣還可能帶動血，使血也從別的通道出來，吐血啦、流鼻血啦，或者便血、尿血等。人體太多的病症都與氣血有關係，所以我們要使氣血運行順暢，就要修煉小周天，讓氣在理想的通道裡運行，而且還要活躍，要源源不斷。

佛家的止觀法門

養生離不開養心，養心離不開「止」學，而對「止」學研究得尤為深透的，是佛家的一些修為觀。止觀法門中的「止」，是使所觀察物件住心於內，不分散注意力；「觀」則是在「止」的基礎之上，集中觀察和思考預定的物件，得出佛教的觀點、智慧或功德。可見，「止觀」即是禪定和智慧的並稱。佛教的這一禪定止觀法門，強調的就是靜慮生慧。

講到修煉的方法，大家最先想到的可能就是「打坐」、「入定」等詞。下面我要介紹一個人人都可在家修煉的功法，就是佛家的「白骨觀」。

初聽這個詞可能會覺得不好理解，白骨是多麼可怕的東西啊！讓人厭惡。為什麼可怕、為什麼厭惡？因為它跟死亡緊密相連，而且，又那麼醜陋。可是佛家偏偏讓你直接面對這個東西，直接面對的原因就是要敢於正視，逃避不是辦法，只有想通了，內心才會真正平靜。

修煉這個的時候，要端坐，手自然放於膝上，盡量把意念放在左腳的大拇指上，想像它的前半截長出膿包，進而想這些膿包化成膿水，露出了白淨的骨頭，放著白色的光芒。繼而整個大拇指都潰爛並且露出了白骨。然後是所有的腳趾、腳背的肉向兩旁分裂開來，整個腳都只剩乾淨的白骨。想完左腳就把注意力轉移到右腳上，也按照這個步驟來。依次上升到雙腿、骨盆、腰肋，然後是後背、雙肩、上臂、下臂、雙手、頸部。這樣，我們的全身只有乾淨的白骨。

這樣修煉是為了靜、為了定，然後頭腦能保持冷靜，可以對事物作出正確的判斷，不會被七情所傷，臟腑的氣血也可平和，不會妄動，不會相互衝擊。但我們的目的是養生，修靜主要是為了養護我們的心性，使它能在煩擾的社會生活中得到平和的享受，從而使身體達到回歸自然的狀態，所以也不用完全拘泥於佛或道的形式。

損卦與益卦：「七損八益」養生法

得失的根本——損己益人

損，有孚，元吉，無咎，可貞，利有攸往。曷之用，二簋可用享。

初九，已事遄往，無咎，酌損之。

九二，利貞，征凶，弗損益之。
六三，三人行，則損一人；一人行，則得其友。
六四，損其疾，使遄有喜，無咎。
六五，或益之，十朋之龜，弗剋違，元吉。
上九，弗損益之，無咎，貞吉，利有攸往，得臣無家。

益，利有攸往，利涉大川。
初九，利用為大作，元吉，無咎。
六二，或益之十朋之龜，弗剋違，永貞吉，王用享於帝，吉。
六三，益之用凶事，無咎。有孚中行，告公用圭。
六四，中行告公從，利用為依遷國。
九五，有孚惠心，勿問元吉，有孚惠我德。
上九，莫益之，或擊之，立心勿恆，凶。

——《易經》

「損」表示減損、減少的意思，因此這個卦講的是減損之道。損卦（䷨）的卦象上面是山（艮卦☶），下面是澤（兌卦☱），是指山下的水減損自己，去增益上面的山。這就告訴我們要減損自己增益別人，減損自家而有益於大家，有益於天下。包括減損自己的私欲、減損自己的財富，這樣才有益於眾人。

卦辭說，心中有誠信而不在乎物質有多少簋（guǐ，盛糧食的器具，這裡比喻微薄之物）。在我們這個社會，其實減損之道是非常重要的。現實生活中，我們一般都是追求多，而不希望減損，都在追求「得」，而不願意去「捨」。中國佛教協會會長一誠大師說過一句令人深思的話：現在的人都是撐死的而不是餓死的。實際上，大捨才能大得，但是人們往往難以做到；一旦做到了，那是最大的快樂。這就是損卦所要告訴我們的一個道理。

「益」是增益、增長的意思。此卦是講如何主動減損自己，去增益別人。益卦（䷩）的卦象上面為風（巽卦☴），下面為雷（震卦☳），風和雷往往是相互助力、相互補益的。損卦是「損下益上」，益卦是「損上益下」，兩者剛好相反。但兩個卦都是強調下卦，益卦是講增益下卦，損卦是講減損下卦。益卦的增益下卦是通過減損上卦來實現，表明領導者要主動減損自己，去增益大眾，那大眾自然就高興、喜悅。從上面把自己的利益佈施給下面，這種道義當然是一種大光明，是一種非常了不起的做法。

把損益的道理運用於養生，我們應該怎樣做呢？比如減損心中的欲望和貪求，這樣會增益心中的富足與平和；減少物質財富以利人，在你需要幫助的時候，別人也比較會幫助你……

損益可以是具體的物質層面的，也可以是抽象的精神層面的，無論是物質還是精神，運用好了，都會對生活、對健康有所幫助。

「七損八益」養生探源

養生理論中著名的七損八益，一直被當作房中養生術而備受關注。關於七損八益，由於文獻中沒有確切指代的記載，所以眾多醫學大家對此觀點頗有不同。

在《素問・陰陽應象大論》中有相關的記載。

帝曰：「調此二者奈何？」岐伯曰：「能知七損八益，則二者可調；不知用此，則早衰之節也。年四十而陰氣自半也，起居衰矣；年五十，體重，耳目不聰明矣；年六十，陰痿，氣大衰，九竅不利，下虛上實，涕泣俱出矣。故曰：『知之則強，不知則老。』故同出而名異耳。智者察同，愚者察異。愚者不足，智者有餘；有餘則耳目聰明，身體輕強，老者復壯，壯者益治。是以聖人為無為之事，樂恬憺之能，從欲快志於虛無之守，故壽命無窮，與天地終。此聖人之治身也。」

——《素問．陰陽應象大論篇》

所謂「調此二者」就是指調攝陰陽。黃帝問岐伯調攝陰陽的方法，岐伯說，能知道女七損男八益的養生道理，就能調攝好陰陽。如果不懂這些道理，就會早衰。人到了四十歲陰氣自然地衰減了一半，日常的起居生活也就漸漸衰退了。到了五十歲，身體變得沉重，耳不聰目不明。到了六十歲，陰氣衰萎，人體之氣虛耗得嚴重，九竅不通利，下虛上實，常常流眼淚和鼻涕。所以說，知道調攝身體就會強壯，不知道就會衰老。

出生時身體素質都基本相同，但到老了卻出現不同的情況。懂得養生之道的智者能夠考察共同的攝生法則，不知道養生之道的愚者，只知道注意強弱的不同。不知道攝生的常感不足，知道攝生的常感有餘。有餘的就會耳聰目明，身體強健，即使到了老年，也還會保持強壯的勢頭，也更好調治。所以聖人做無為而治之事，樂於恬靜淡泊，於虛無處快意心志，所以就能夠長命，與天地同壽。這是聖人的攝生之道。

在易學的洛書模式中，七居西方配兌卦，兌象少女為陰；八在東北配艮卦，艮象少男為陽。「七損八益」在易學中就是「損益陰陽」。正因為《黃帝內經》中對此的解說不是很詳盡，所以歷代醫家都有自己的發揮，但最終求取的結果都是達到陰陽平衡的狀態。

對於七損八益的爭論，直到一九七三年，長沙馬王堆三號漢墓竹簡《天下至道談》出土以後，這個問題才算迎刃而解。《天下至道談》中所提到的「七損」是指：「一曰閉，二曰泄，三曰渴（竭），四曰弗（勿），五曰煩，六曰絕，七曰費。」「八益」是指：「一曰治氣，二曰致沫，三曰智（知）時，四曰畜（蓄）氣，五曰和沫，六曰積氣，七曰寺（持）贏，八曰定頃（傾）。」

可以看出，這裡面已經完全把七損八益用於房中養生，與《黃帝內經》中陰陽調攝的解釋有所區別，但是，二者之間又是有所聯繫的，它們講的都是增減的道理，都要達到一種理想的陰陽平衡狀態，從而使身心愉悅，達到養生的目的。

房中養生術

七損是指七種在行房時會造成機體損傷和耗散精氣的做法。

一為閉：行房時性器官的疼痛，精道不通，無精可泄，這就是閉。

二為泄：有些人由於體質原因，或者在行房過程中耗損的體力過多，過於激動，就會大汗淋漓不止，此為泄。

三為竭：行房不加節制，恣情縱慾，使得精氣耗散殆盡，就叫做竭。

四為勿：指陰莖不舉，不能正常行房。

五為煩：行房時呼吸急促，神魂意亂為煩。

六為絕：在交合過程中男方動作粗暴，沒等女方進入愉悅的狀態而強行交合、強行施為，耗散氣血，為絕。

七為費：行房過急，沒有體驗到愉快的感覺，對身體無補，只能虛耗精氣，就是費。

那麼怎麼做才是有益的呢？根據八益的記載，有以下幾種做法。

清早起來打坐，挺直脊背，放鬆臀部，收斂肛門肌肉，做提肛運動，導氣下行，為治氣。

吞咽舌下津液，伸直脊背，繼續收斂肛門，用意念導氣至前陰，為致沫。

行房前，男女嬉戲撫愛，精神充分放鬆，心情愉悅，雙方都有亢奮感時再交合，這是知時。

行房過程中，放鬆背部肌肉，提肛斂氣，導氣下行，為蓄氣。

沫。

行房時不急躁粗暴，出入輕柔、舒緩，使女方充分感受到興奮與舒適，這是和為積氣。

行房過程中可在適當時候中斷片刻，靜臥或起床，平息一下精神，停止性交，來，這是持贏。

交合要結束時，行氣於脊背，停止交合的運動，導氣下行，等待女方高潮的到女方，為定傾。

當交合一旦完成，不能貪欲無度，射精完畢，在陰莖還沒有完全萎軟時就抽離

七損八益概括了整個行房過程中所會出現損傷機體的各種情況，也從反面說了怎樣做才是有益於身體的。道教中重要的採陰補陽的修煉法固然有很大的偏頗，但也可見男女的交合是關係到健康的大問題。《周易・繫辭傳》上說：「一陰一陽之謂道。」歷代醫家也都說：「一陰一陽之謂道，偏陰偏陽之謂疾。」陰陽的交替、平衡是人身的根本，單陰或單陽世界是沒法維繫的，所以這二者的交合是再自然不過的現象。普通人與出家人不同，不用把欲念完全化解掉，也不用過度壓抑，適當的性生活可以讓精神和身體都愉悅、舒適，是人們正常的需求。而把其納入養生中時，就要求大家一定要將其控制在不損害身體的範圍內。不頻，不燥，不強施，不

貪戀。

其實我們從「損」、「益」兩卦中也能看出這種啟示。損就是減，減私欲；益就是增，增益於人。這是損自己以利人的道理。但這種損又不會真的使自己受到傷害，反而會帶來福澤。要想房事和諧其實很容易，在夫妻生活的過程中，只要我們能時時為對方著想，就會從伴侶的角度看待問題，也自然不會做傷害對方的事情了，這是對雙方都有利的。本著損己利人的心，本著愛護伴侶的心，可以讓生活變得和諧，讓房事成為一種幸福的、有益健康的享受。

年四十當識房中之術

房中術，除了在整個行房過程中要講究一定的方法外，還有很多需要注意的地方。中國古代房中補益論就很盛行，尤其道家更有採陰補陽之說，把房中術當作修煉的方法。但是從醫學的角度來看，行房是不是會有古人說的那種促進身體健康的作用呢？朱丹溪在《房中補益論》中很客觀地論述過這個問題。

人的一切煩惱、苦痛均來自妄動，心為火居上，腎為水居下，水升火降，循環無端。心為火則主動，水之體主靜。心不動則身不動，心動，便生出很多欲念。所以儒釋道都講究心靜，儒家講究正心、收心、養心，都是由此而來的。心火是君火，是最主要的部分。肝腎中也有火，但是是相火，是從屬的關係。如果心火不動，相火也就只能安守本分，不會造成什麼損傷。

再回到七損八益，根據九宮方點陣圖，七為兌，屬少女，八為艮，屬少男。當少女遇到少男，上兌（☱）下艮（☶），就是咸卦（䷞）。

> 咸，亨，利貞，取女吉。
>
> 初六，咸其拇。
>
> 六二，咸其腓，凶，居吉。
>
> 九三，咸其股，執其隨，往吝。
>
> 九四，貞吉，悔亡。憧憧往來，朋從爾思。
>
> 九五，咸其脢，無悔。
>
> 上六，咸其輔頰舌。
>
> ——《易經》

咸卦是語意非常明確的一卦，把男女情愛的過程都做了描述。咸，下面多了一個心字就是感。少男少女相遇就會有所感應，感應之後就會想進一步接觸、親近。

從感到咸，就是從有心到無心、從有意識到無意識的一種狀態。由男女感應到家庭和諧，再推及家庭以外，這樣天下才會和諧，萬物才會化育，生生不息。

但艮是止，如果遇到艮而不止，只能有損，怎能有益呢？如果年少時貪歡戀慾，就算父母給你的先天之體再好，也是徒然。過了四十歲，如果不節制，體內君火與相火就會灼烈躁動，耗盡腎水，只能是髓枯水盡。男女之樂，一在於取，一在於予，想只取不予是不可能的，所以想要單單從房中術中補益己陽的觀念是不可取的。

所以男女相處就應「咸」，注重心靈深處的「感」，有情才能愉悅心情，無情無感的性愛只能讓身體獲得短暫的快感，不能給心靈以愉悅。咸卦就是說，真誠的感情能使人類之間和睦相處，對此有一個正確的認識，建立在男婚女嫁的婚約基礎上的感情將會產生完滿的結局。

頤卦：自養與養人的頤養之道

頤，貞吉，觀頤，自求口實。

初九，捨爾靈龜，觀我朵頤，凶。

六二，顛頤，拂經，於丘頤，征凶。

六三，拂頤，貞凶。十年勿用，無攸利。

六四，顛頤，吉，虎視眈眈，其欲逐逐，無咎。

六五，拂經，居貞吉，不可涉大川。

上九，由頤，厲吉，利涉大川。

——《易經》

頤卦（䷚）上面是一根陽爻，下面也是一根陽爻，中間是四根陰爻，這個卦象就像一張嘴——兩條陽爻分別是上嘴唇和下嘴唇，中間是空的。《說文解字》上說「頤，頷也」，就是臉頰。「頤」是養的意思，有個詞叫「頤養」。既然它的卦像是嘴巴，用嘴吃東西不就表示養人嗎？頤卦上面是艮（☶），是止；下面是震（☳），是動，上止下動，非常形象化。我們把嘴張開，下巴在動，上面能不能動？永遠也動不了。因此上面是止，下面是動，上止是頤養別人，下動是求養於人。這個卦就講養育萬物。程頤解釋說：「天地造化，養育萬物，各得其宜者，亦正而已矣。」在這裡，程頤強調要正，要守正道，這樣才能求得食物。你要想養別人或求別人養你，你就必須守正。

頤卦講了兩種頤養之道，一種是自養，一種是養人。自養要本於德性，這樣才吉利。有句老話叫「自助者天助」，自己都不養自己，難道還指望天去養你嗎？當然如果我們的身體狀況不好，可以靠家人的提醒、照顧，有了病症也可以讓醫生來診治，但這些都是下下之選；自養好了，才有雄厚的基礎，這樣即使發生了狀況也便於轉危為安。還有，有德性、守正是得到他養的條件。這不但夯實了基礎，還讓他人樂於幫助、頤養自己。

大乘佛法中有一種觀點——「自度度人」，自養之餘還要惠及他人。那麼，養人要秉承一種什麼樣的心態呢？就是公平、公正。養護別人，只要守公道，雖然有艱險，但卻是吉祥的。天地是養萬物的，聖人是養賢人的，君主是養萬民的。這個「養」有個特點，就是自己富有了就去養別人。光自己有才能、有能力還不行，你不能光顧自己養自己，還要去養別人。這個「養」字，不要單單理解成養育、奉養，它可以是養護、保養，「取樂琴書，頤養神性」。也就是說，除了保養自己，還要養護他人，當然，養子女、養父母也是養，而且還要使他們也健康、快樂。

養護精神，陶冶性情

頤養之道不同於食養等，它更側重於精神方面的養護。韓愈在《閔己賦》中說：「惡飲食乎陋巷兮，亦足以頤養而保年。」《後漢書・光武帝紀下》中也有「願頤愛精神，優遊自寧」。這都是從精神層面來說的，所以頤養之道可以側重於精神。

看看古人是怎樣來保養他們的精神的。《蓮坡詩話》中有一首詩：「書畫琴棋詩酒花，當年件件不離它；而今七事都更變，柴米油鹽醬醋茶。」古人陶冶性情，頤養精神也就都囊括在這首詩中了。

我們常說字如其人，有些心性浮躁的人，我勸他們最好去練習練習書法，不但可以寫得一手好字，更能沐浴神氣。寫字的時候要聚精會神，心不被外物所擾，一點一橫間都蓄著氣血。學習書法如若認真起來，也是件勞苦的事情，但是能靜中取樂，化解平日的戾氣。

畫同書一樣，必須傾注精氣才能使它豐滿、完整，如果精神不專一，那麼畫出來的東西就沒有精髓。不謹慎，畫不會周密；懶惰時作畫，雖在運著畫筆，但線條不會流暢；心煩意亂，筆調也必然淩亂……所以學習畫畫也是很好的陶冶性情的方法。至於說學國畫還是油畫，畫素描還是色彩，都可根據自己的喜好出發，不一定偏要畫水墨、畫工筆。

除了作畫，觀畫也是很好的消遣。觀賞畫中的神韻，感受山石花鳥人物等的風格。宋朝的郭熙就曾說過，觀山水畫時，用一種平淡放逸的心態去看，價值就高，用驕侈的目光去看它，價值就低。所以觀畫足能看出一個人的修養境界。

在古代的時候，帝王家的音樂是《雅》、《頌》之類的音樂，如果哪個帝王喜聽靡靡之音，其下的大臣會馬上指出來，因為他們認為這是要亡國的。為什麼音樂有如此巨大的力量呢？音樂伴隨了一個個朝代的興衰，伴隨著民族的榮辱，例如：「商女不知亡國恨，隔江猶唱後庭花。」再來看看抗日戰爭年代唱的是什麼，從抗戰初期的「救亡歌曲」到《黃河大合唱》等等。可見音樂確實能對精神產生莫大的影響。《漢書．禮樂志》中說：「是以纖微憔悴之音作，而民思憂；闡諧嫚易之音作，而民康樂；粗厲猛奮之音作，而民剛毅；廉直正誠之音作，而民肅敬；寬裕和順之音作，而民慈愛；流辟邪散之音作，而民淫亂。」意思是說，聽到纖微柔弱的音樂，人們就會起憂思；聽到舒緩和諧的音樂，人們就會健康快樂；聽到奮進的音樂，人們就會剛毅；聽到廉直正誠的音樂，人們會肅敬；聽到寬裕和順的音樂，人們就慈愛；聽到流辟邪散的音樂，人們就淫亂。

所以音樂可以根據自己的喜好和具體情況來加以選擇。暴戾的人就聽舒緩諧和的音樂；平時多愁善感的，就聽些明快的音樂；鬱悶不舒的，就聽昂揚疏朗的音樂。好怒、好爭的人最好學學下圍棋。王國維曾經這樣評說：人生就像是一場競爭。如果我們的願望在實際中無法實現，或者實際中已經取得了勝利，但還有多餘的精力找不到發泄的地方，那麼最好就去弈棋。弈棋表現出一個競爭的世界，能使我們從中獲得滿足。

唐代有個叫李訥的人性子很急，但酷愛下棋，下棋時就會變得很安詳，所以他一發怒，家裡人就把棋具拿出來，他也就馬上布局上陣，連憤怒都忘卻了。下棋可以從正反兩個方面來疏導我們的心情，既可以從中得到勝利的滿足，又可以鍛鍊耐力，學習克制貪勝的心。

張三丰說：讀書十年，養氣十年。讀書是件福事。我認識一位教古代文學的教授，他總對學生說：跟古人交朋友。跟古人交朋友其實就是說，要多讀有益的前人的書籍。閒適無事的人，又不看書，心就沒有地方棲息，也就會生出許多煩心的念頭。而且，人是健忘的，就算以前看過很多書，也領悟了很多道理，但一旦放任，就很可能前功盡棄。比如現在大家讀這本《易經》養生的書，也許會領悟一些修身養性的道理，但只看看就扔到一邊，又不照著去做，很快也就會淡忘了。因此要讀好書，多讀書，還要學而時習之。

花草是青蔥美好的，是純粹大自然的色彩。春暖花開的時候，跟二三好友或家人，一起出去散步遊玩，最好不要坐車，騎車或步行去，很能散心解悶。愛戶外活動的人，也不必拘泥於看花，臨水觀魚、靜夜望月都是很好的養神方法。

頤養心神的方法是很多方面的，比如垂釣聽鳥，比如養魚灌園，只要能從中獲得快樂的，能讓心情平靜的，都是閒暇時可以嘗試的活動。

消災避禍，頤養天年

養生的概念很廣，除了養身體，剛剛又說了養性情。再把它的外延擴展開來，正如儒家所強調的，懂得趨利避害也是養命的重要條件。孔子說：「危邦不入，亂邦不居。」孟子也說：「好勇鬥狠，以危父母。」人應該避開對自己不利的環境和事物，因為養護身體和性情都是從己出發，而天災人禍對人造成的傷害有時非人力所能抵擋，所以能避免就要主動去避免。

雍正當政的時候，年羹堯任陝甘總督，軍功卓著，雍正也怕他三分。他在鎮守西安時廣求天下賢達，有個叫蔣衡的應聘前往。年羹堯喜愛他的才華，對他說：「下科狀元就是你了。」年羹堯如此大的口氣一般人聽了可能高興得不得了，但蔣衡卻嚇出一身冷汗。蔣衡對同僚們說：「年羹堯德不勝威，當今萬歲英明神武，年大禍必至，我們不可久居此處。」同僚不以為然。年羹堯當時的權勢如日中天，多少人巴不得能投奔他門下。蔣衡不顧同僚勸阻，執意稱病回家。年羹堯挽留不住，取黃金千兩給他，蔣堅辭不受，最後在年羹堯的堅持下，只收了一百兩。

蔣衡回家不久，年羹堯果然獲罪，牽連了不少人。年羹堯一向奢華，送人不到五百兩不登記，蔣衡只收了一百兩所以保了自己平安無事。因為年府被抄，在登記簿上沒有蔣衡大名，避免了一場災禍。

避禍需要蔣衡這樣的遠見卓識，其實也就是在任何時候都看清誘惑後面的陷阱，不要有太多貪欲，要守正。在日常生活中，就是不要把自己陷入險境。比如有些施工的地方，走路的時候能離遠些就離遠些，君子不立危牆之下。遇到有「好勇鬥狠」的也不要好事，更別說自己去做了。要大家修養心性，其實也有這方面的考慮。

復卦：「人之大寶，只此一息真陽」

復，亨。出入無疾，朋來無咎。反覆其道，七日來復，利有攸往。

初九，不遠復，無祇悔，元吉。

六二，休復，吉。

六三，頻復，厲無咎。

六四，中行獨復。

六五，敦復，無悔。

上六，迷復，凶，有災眚。用行師，終有大敗，以其國君凶，至於十年不克征。

——《易經》

馮友蘭先生指出《周易．序卦傳》：「運用『復』的概念，解釋了六十四卦的順序安排。」「一切事物皆始於復。《易傳》認此為宇宙之祕密。」由此可見，復卦在《易經》中有怎樣重要的地位。同樣，就養生來說，復卦一樣講述了能讓健康長久持續、陰陽相生的道理。

為什麼叫「七日來復」呢？因為陽氣開始向上升，從姤卦開始到復卦，剛好經過了七個卦（姤、遁、否、觀、剝、坤、復）。還有一種說法，月亮的盈虧規律（朔、弦、望、晦）四個階段，每個階段是七天。可見第七天是一個關鍵的日子，是一個開始的日子。

復卦（䷗）前面的一卦是剝卦，剝卦（䷖）只有最上面的一爻是陽爻，象徵一陽剝盡，能感覺到岌岌可危的情勢。也正因陽都散盡了，所以在至陰中才又有新的陽生出來，形成了一個循環，由險境中生出新的希望。什麼時候是陽氣耗散盡，且最危險的時候呢？在一年中就是冬至這天，在一天中就是子時。先賢在修煉時都非常重視一陽來復，此時閉關不出，內守養氣，因此說「不遠復」。

從常識出發，我們也能知道，在冬季和夜晚是諸多病症發病的時候，老年人、身體虛弱的人，在這時候都要提高警惕，就是因為這時無論天地還是萬物的陽氣都太衰微，難以護持人體。能保護人體，帶給我們生命力的陽氣消散了，我們就不能做更耗散陽氣的事，而應該注意保養，守住體內的一點真陽，等待大地回春，等待身體的陽氣從至陰中升騰。

所以有很多健康報導都說要早睡，在子時之前應該進入睡眠狀態，這是完全符合自然規律的。我們也經常會聽到這樣的說法，家裡有體弱多病的老人時，家人有時候會說：「也不知道能不能熬過這個年，如果能過去了就不怕了。」這是說只要能度過春節，就不用那麼擔心了。因為春節就代表著春陽的到來，人體又可以重新得到自然陽氣的滋養，疾病的情況也就會轉好一些。

那麼為了配合這一陽的到來，我們除了注意休息，還有什麼可做的呢？就保養身體來說，要保持希望、耐心等候、堅修持守。就修心的方面來說，要休復（與周圍的人和諧相處）、要中復（要居中守正道）、要獨復（專心致志地回復）、要敦復（誠信、敦厚地回復），還要反省自己。

泰卦：氣血交通，陰陽相濟

泰，小往大來，吉亨。

初九，拔茅茹以其匯，征吉。

九二，包荒，用馮河，不遐遺，朋亡，得尚於中行。

九三，無平不陂，無往不復，艱貞無咎。勿恤其孚，於食有福。

六四，翩翩不富，以其鄰不戒以孚。

六五，帝乙歸妹，以祉元吉。

上六，城復於隍，勿用師。自邑告命，貞吝。

——《易經》

前面也提過泰卦（䷊），是坤（☷）上乾（☰）下、陰上陽下、水上火下、血上氣下的交通之卦。陰陽、水火、氣血不宜偏頗，火性趨上，所以要居下位，水性就下，所以宜使之上。這樣就不會陰陽偏廢，就叫做「交」，就是「既濟」（䷾），否則就是「未濟」（䷿）。交則生，不交則死。

泰卦的「小往大來」裡的「小」指陰爻，三根陰爻在外卦，是從內走到了外；「大」指陽爻，三根陽爻在內卦，是從外來到了內。陰爻走了，陽爻來了，故曰「小往大來」。這種現象就「吉亨」，是大吉大利的。反之，大往小來則為否卦，是不吉利的。「小往大來」比喻小人與大人、小事與大事。小人走了，大人來了，這當然是吉利的；小事與大事好比芝麻與西瓜，撿了西瓜，丟了芝麻，這就是好事，反之就是否卦（䷋），是壞事。泰卦陰陽之氣，一來一往、一升一降，交通調和，有吉祥、亨通之象。

前不久幾個老友相約一起吃飯，其中一個說身體不舒服，不願來。大家都關心地問他怎麼了。他說：「這些日子晚上睡不好，總做夢，白天就沒精神，覺得累，到了下午就腿軟頭暈。」大家都說他沒休息好，可能是最近工作太忙了，以後早點睡就好了。這在西醫看來確實不是什麼病，但在中醫看來就不太正常了。

我問他：「你晚上都做什麼夢啊？」「跟人打架，被壞人追著跑，睡覺比白天幹活都累。還愛出汗，提不起精神。」我說：「你這正是《易經》上的一卦——否卦（䷋）。」這位朋友說：「我可知道中醫的痞滿，是胃脹滿，病在脾胃，跟我這有什麼關係？我這要說有問題也是腎的問題。」他說的沒錯，痞滿在中醫病症中是跟脾胃有關，但《易經》中的否卦跟痞滿卻不盡相同。

否卦上乾下坤，跟泰卦相反。陽在上，陰在下，火熱灼傷陰水，腎水本就虧虛，又不能制約心火，熊熊烈火在上面燒，不足的陰水在下岌岌可危，所以心神就不能安寧，晚上的時候就會多夢，且為凶夢。腎陰滋養不到腦髓，所以還容易頭暈耳鳴。他聽了我的解釋，問我有什麼辦法。我說這很簡單，降心火補腎水。

中藥裡有一個交泰丸，專治這種病症。顧名思義，交泰就是溝通心腎、交通陰陽。這藥只兩味，黃連跟肉桂。一般看來這兩味藥正好是相反的，黃連是苦寒的藥，肉桂是辛熱的，放在一起有點抵觸。但黃連入心經，能瀉心火，治療心火亢盛；肉桂擅入腎經，助補陽火，是治療命門火衰的要藥。

朋友當下就要我說說兩味藥的配比，也回家自己配來吃。但這需要研末，又要自己做成蜜丸，比較麻煩，所以還是叫他到醫院看看，開些成藥來吃。現在有這些症狀的人不少，又沒有什麼具體的病，所以也沒想到去醫院看。可是心腎不交又確實會影響生活，讓人覺得疲累，只要到中醫院看一下，吃點中藥很快就能見效，因此有類似症狀的朋友，還是應該及早治療。

豫卦：精神無非一快樂

豫，利建侯行師。
初六，鳴豫，凶。
六二，介於石，不終日，貞吉。
六三，盱豫，悔；遲有悔。
九四，由豫，大有得，勿疑，朋盍簪。
六五，貞疾，恆不死。
上六，冥豫，成有渝，無咎。

——《易經》

窮也樂，達也樂

養生的目的有三個：健康、快樂、智慧。人在感官得到滿足的時候自然會快樂，在順境、通達時自然會快樂。物質跟精神上的欲望被滿足時的快樂，是每個人都會有的；而那些長壽健康的人，則在別人不快樂時也能達到內心的平衡，也能在風雨中期盼陽光。正所謂順也樂，逆也樂；窮也樂，達也樂。

孔子當年被圍困在陳蔡之間，有七天沒飯吃，菜湯裡一粒米都找不到，但他還是在屋子裡彈琴唱歌。孔子的弟子子路和子貢就說：「您兩次被趕出魯國，衛國也不留您，在宋國還被罰去砍樹，在商、周窮困潦倒，現在又被圍困。想殺您的，想迫害您的都活得好好的。但是您看您，都到這種地步了，還在這彈琴唱歌。君子是要知道羞恥的，您就是這樣知恥的嗎？」

孔子答道：「話不能這麼說。君子能行正道，那就是通，不了解道，那就是窮。我現在滿懷仁義，雖身逢亂世，也不是窮。我反省內心，對正道沒什麼虧欠的，又沒喪失道德。我為什麼要不快樂呢？」孔子說完就又開始彈琴唱歌了。

人一輩子都會遇到煩心事。別家的孩子考上大學了，自己的孩子沒考上；別人晉升了，自己還十幾年，甚至幾十年如一日；別人家大屋，自己家蝸居……沒考上大學，努力了，又沒遺憾，以後的道路還充滿光明和生機，為什麼不快樂呢？自己努力工作，無愧於心，在同事面前行得正、坐得直，為什麼不快樂呢？全家人為了一個共同的目標奮鬥，其樂融融，溫馨地居住在一起，為什麼不快樂呢？

在任何時候都快樂，這種快樂不是因為欲望被滿足，更不是因為比別人得到了好的條件，處於好的地位，而是心底寧靜，無愧於心，知道自己做了對的，知道自己對得起自己，也對得起別人，所以無論外物怎麼變遷，心裡的快樂是不變的。人是哭著來到這個世上的，走時，應該笑著離開。

生於憂患，死於安樂

豫卦（☳☷）初六中說：「鳴豫，凶。」意思是，一開始就自鳴得意，快樂過了頭，有凶險。上六爻中也說：「冥豫，成有渝，無咎。」沉迷於快樂之中，以至於縱樂昏冥，但如果及時改正，就沒有災禍。初六告訴我們快樂要有節制，上六告訴我們不能沉湎於歡樂。

同樣，要防止疾病、疾患，要有憂患意識。這講的其實就是「生於憂患，死於安樂」。「生於憂患，死於安樂」是人生的至理，要想不死，就不能沉湎於安樂，就要保持防範之心，要預防疾病。《黃帝內經》說，上等的醫生「不治已病治未病」。當然，要想真的「不死」是不可能的，關鍵是快樂地死才是難能可貴的。

豫卦告訴我們，歡樂的原則在於要適中，千萬不要過分。比如初六，不要一開始就自鳴得意，不能快樂得過了頭。同時，歡樂要跟憂患始終聯繫在一起，不要總想著歡樂，不要太過分地去享樂，一定要有憂患意識、危機意識。只有「生於憂患」，你才能活著，太安樂了就會早死。也只有六五爻「貞疾」，才能「恆不死」。

當然，永遠不死只是一個美好的願望，人事有代謝，所以只要過得快樂、健康，也就不虛此生。

大家快樂，才是真的快樂

「九四，由豫，大有得，勿疑，朋盍簪。」由於他給大家帶來了歡樂，使大家大有收穫；不用懷疑，同道朋友會像用簪子把頭髮束在一起那樣來聚合。

孟子「獨樂樂」與「眾樂樂」的觀點流傳了幾千年，我們也都知道分享快樂的道理，但做到也不是件易事。比如現在你有一百萬，要和九個人平分，你可能就不會很高興。換個位置，如果你的朋友有一百萬，要給你十萬，你可能就會很開心。人們的心理都是相同的，願意取不願意予，自私是人的本性。關鍵是，這種人性的弱點並不能帶給我們內心深層長久的快樂。因為對於人來講，任何東西都要與他人分擔或分享，痛苦與人分擔了就會減少，快樂與人分享了就會增多。所以在做一個決定之前，我們都可以理性地換角度思考一下，別人對你這樣做，你會快樂，那就對別人也這樣做，這樣實踐起來也不是很困難。

一些貪官或做了壞事的人，為什麼心裡有那麼大的壓力？因為他們積攢了那麼多的財富，心裡很高興，但是這種高興不能分享，他們不敢告訴別人。同時，這樣的人一定也很害怕，怕東窗事發，但是這種不安又不能找人傾訴，他們同樣不敢把這種感受告訴別人。一個人心裡憋了這麼多的事，越積越多，一半是聚斂的狂喜，一半是貪婪的擔憂，這樣的人不得病誰得病呢？

快樂是有條件的，像豫卦告訴我們的一樣，歡樂之源是有獨特性和差異性的，要有陰陽的聚合。只有大家都快樂了，才是真正的快樂。

第八章

《易經》的風水養生

《易經》說的是「天、地、人」三者之間的關係，對《易經》理論的應用，使得從《易經》裡衍生出風水理論，進而形成了獨具中國特色的文化現象。

風水是一種智慧之學，「看風水」就是用這種智慧選擇環境、營造環境與調節環境，只是後世有人把它給整歪了。

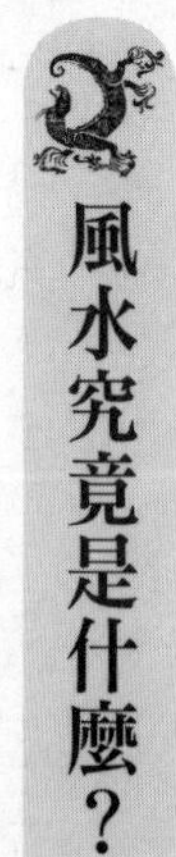

風水究竟是什麼？

從古代開始，風水就是一個充滿爭議的事物。信之者奉若神明，凡事都以其為指歸；不信者斥之為迷信，對其大加抨擊和批評。那麼它究竟是糟粕還是精華？在現今的社會中，究竟是應該將其發揚光大還是掩蹤滅跡呢？這是一個頗為難解的問題。

風水是中國特有的一種文化現象，這種現象裡所包含的內容非常複雜，流傳了幾千年一定有它的合理性。你如果百分之百地相信它，認為這就能解決一切問題，這肯定就是迷信。也就是說，認為它能改變一切，能解決一切問題，這是不可能的。如果客觀、理性地來對待它，還是會從中找到一些解決問題的門徑，因為它畢竟是中國幾千年智慧的沉積。

做風水的目的實際上就四個字——趨吉避凶！風水既不是現代科學，也不是現代哲學，而是一種智慧之學。「看風水」就是用這種智慧選擇環境、營造環境與調節環境。我要特別強調一點，就是風水裡面還有非常非常重要的一個因素——風水本身是調形、調環境，而看風水是在調心。

風水的構成

郭璞《葬經》中說：「葬者，乘生氣也。氣乘風則散，界水則止。古人聚之使不散，行之使有止，故謂之風水。」

風水也叫堪輿。堪，天道也，也就是觀察天；輿，地道也，也就是觀察地。堪，高處；輿，低處。它主要包括了三大基礎學科：古天文學、古地理學、中醫學。而其哲學基礎就是《易經》。說到天文學和地理學與風水的關係，大家都能理解一些，但說到風水與中醫的關係，就有點讓人感到困惑了。風水如果真與中醫有關，那它是否也與我們的健康有關呢？風水除了可以尋找寶地，還可以影響我們的健康嗎？

人們生存的這個地球是由各種元素組成的，這些元素或為人體所必需，或對我們有所傷害，人每時每刻都浸潤在這樣的環境中，這是我們賴以生存的物質基礎。除了各種元素，還有重力、磁場、溫度等環境因素，這些與地理息息相關的現象，也對我們產生各種作用。更不用說山川地貌、地質結構、自然景觀的種種組合了。

舉個最簡單的例子，江南的風土山水造就了那裡居民的靈秀，北方的風沙雪雨給了人們粗獷與豪邁的個性特徵。而且不同地域的文化也不同，這就是風水地理帶給我們的多樣性。

風水與天文學密不可分，更確切一點應該說，它與星象學的關係更為密切。星象學在我國古代一直很發達，人們通過觀察各種天體的運轉與現象，總結出一些自然規律，並用它們來指導生活、生產。青龍、白虎等風水學名詞，最早是古代天文學中二十八宿四象的名稱。而且當有日食、月食的時候，皇帝往往會大赦天下，以此祈求平安。

再看中醫學，古人認為人體有穴位，大地也有穴位：人之穴是經絡之氣輸注於體表的部位，也是疾病反映於體表的部位，是人體體表特殊的感覺點；地之穴是山水相交、陰陽融合、情之所鍾處，也是藏風聚氣的地方。這些學術文化無不體現了中國古代哲學的重要思想——「天人合一」，它們所運用的思維工具，主要就是陰陽五行學說。

儘管風水學和中醫學的理論依據同宗同脈，但在實際運用中，兩者對人所產生的影響卻不一樣。中醫師依據陰陽五行學說為人通經絡、調氣血，病人有感覺、有反應，效果可見可察；風水師依據陰陽五行學說觀氣、選穴、擇向，基本上是靠個人主觀

風水學、中醫學中通用的五行學說

方位	五行	五色	五味	五臟	方向	功能	季節	防病
東（青龍）	木	青	酸	肝	左	生發	春	肝膽病
南（朱雀）	火	赤	苦	心	上	生長	夏	心腦血管病
中	土	黃	甘	脾	中	運化	長夏	胃病
西（白虎）	金	白	辛	肺	右	肅降	秋	呼吸病
北（玄武）	水	黑	咸	腎	下	收藏	冬	腎病

感覺，效果無可評判，令人感覺神祕莫測。尤其現在有些人不理解風水學的學術思想，生搬硬套古籍上的片言隻語，有些人則將風水和命運完全畫等號，弄得艱澀玄乎，帶來了較大的問題。

風水雖不與我們的健康直接相關，但其中的某些具體應用卻與醫學有異曲同工之妙。理論解析不同，但殊途同歸，最終的結果很相像。

什麼才是風水寶地？

《葬書》中說好的地方要：「玄武垂頭，朱雀翔舞，青龍蜿蜒，白虎馴俯。」我們也常聽到這樣的話：「前有照，後有靠，左青龍，右白虎。」這是說，一塊好的地方要北面有蜿蜒而來的群山峻嶺，南面有遠近呼應的低山小丘，左右兩側則群山環抱，重重護衛。中間部分地勢寬敞，且有屈曲之流水環抱。三面環山，水口緊縮，中間微凹，山水相伴，坐北面南位居中央，這是「藏風得水」的理想模式。

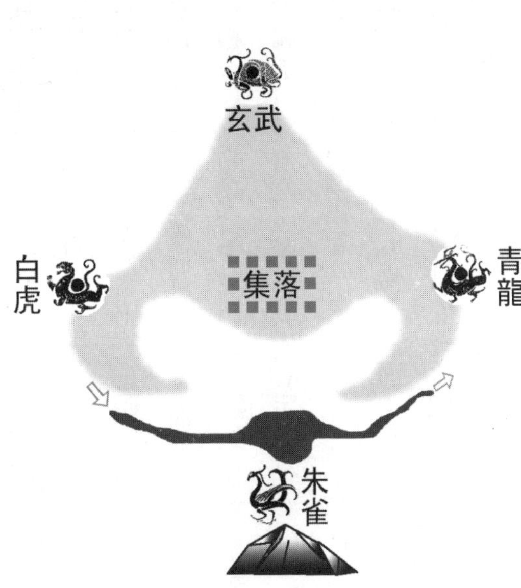

「藏風得水」的理想模式

早在春秋時期的《管子》一書就對國都選址作了總結：「凡立國都，非於大山之下，必於廣川之上，高勿近旱，而水用足，下毋近水，而溝防省。」

我們拿寶地所應具備的條件與管子建國都的要求來比較，不難看出，它們是很相似的。但《葬書》給我們的感覺是，指導選址的理論好像是玄妙而神奇的，而《管子》是從戰略的角度講，很實際。但從這一玄妙和一實際的吻合中我們可以看到，風水理論無非是從實踐中來，並用《易經》等理論加以完善的，所以其中必定有它的實用性與科學性，也確實會對我們的生活、健康產生一定的影響。

看風水主要是關注生態環境中的氣，而氣對人的影響可以分為多個層面：首先是物質層面，比如空氣是否清新、負氧離子的成分等；其次是心理層面，比如布局是否合理，風水講究「前有照，後有靠」，就是因為能給居住者帶來良性的心理影響；第三是最重要的，心靈層面，也就是信仰與文化的層面，比如中國人注重「天人合一」，如果建築給人這樣的感受，人不僅會感到心情舒暢、舒適、穩定，而且有一種心靈提升、與天道融為一體的滿足。

現代人在看風水的時候，也要注重實際的需求，現在城市中想找到有山有水的地方很難，很多樓盤的建造者會在社區裡挖個水塘、堆個假山之類的，但這跟環山抱水其實根本沾不上邊。所以還要以方便生活、舒適、健康為依據，來挑選自己理想的住宅。

建築風水，根據個人特點選擇住宅養生

承德避暑山莊與清東陵

承德的避暑山莊始建於康熙四十二年，經康熙、雍正、乾隆三代才完工，歷時八十九年。承德古稱熱河，「承德」這個名字使用到現在還不到三百年的時間。

為什麼康熙這麼喜歡這個地方呢？因為它的自然地理地貌十分理想，稍加改造就可以作為園林景觀。西部和北部有西嶺北山，北部有個沖積平原，東南部是沼澤，有泉，可以開闢成湖區。這個地方要山有山，要水有水，還有象徵牧區的平原。

避暑山莊是中國地理環境的一個縮影，西南多山，東北多水，北部是平原，南部則仿造了許多江南名勝。

說到清東陵的選址，有一個傳說。清朝入關後，順治皇帝經常帶人四處打獵。

一天，他們由北京經薊縣盤山，來到遵化所轄的馬蘭峪境內，躍上了鬱鬱蔥蔥的鳳台嶺，清朝順治皇帝被眼前的景物迷住了。向北看，重巒疊嶂、群山蜿蜒；轉身南望，群山之中竟環抱著坦蕩如砥的土地，真是山川壯美，景物天成。他莊重地向身旁群臣說：「此山王氣蔥鬱，可為朕壽宮。」他翻身下馬，在鳳台嶺上選擇了一塊向陽之地，將右手大拇指上佩戴的白玉扳指取下，扔下山坡。靜默片刻，又說：「扳指落處定為佳穴。」群臣遵旨，順著扳指滾落的地方尋覓，終於在草叢中找到了。於是在扳指停落的地方打樁做記號。後來，在這裡果然建成了清王朝入關後的第一座陵寢——清東陵。

關於清孝陵所處的地理形勢，《大清一統志》是這樣描述的：「山脈自太行委拖而來，重崗疊阜，風翥龍蟠，一峰柱笏，狀如華蓋。前有金星峰，後有風水峪，諸山聳峙環抱。左有鯰魚關，馬蘭峪盡西朝，儼然左鋪；右有寬佃峪，黃花山皆東向，儼然右弼。千山萬疊，回環朝拱。左右兩水，風流夾繞，俱匯於龍虎峪。」孝陵位於昌瑞山莊主峰南麓，三面環山，陵前是開闊的平原，左右有景陵、裕陵、定陵、惠陵及許多後妃陵、公主陵，形成了清東陵的整體規模。

從避暑山莊跟清東陵的選址可以看出古代對風水的重視，無論我們信也好，不信也罷，風水都在各方面影響著我們的生活。先人的思想、古代的建築都已是既成的事實，我們在這片處處留有風水痕跡的土地上生活，也可以利用其中的精華部分，對我們的生活加以指導。

要不要請風水師？

現代人在買房、裝修，甚至選擇歸葬陰宅的時候，都越來越注重風水，還請一些專業的風水先生來勘察。

但看風水的主觀因素太強，風水師有雲泥之別，現在大部分的風水師其實並不懂得風水之道，只懂得一點風水術，往往誤導大家。有的以營利賺錢為目的，故弄玄虛，叫你改這改那，以此騙取金錢。而普通民眾在效果不能評價的情況下，過度依賴某個人的評判，只能給自己帶來煩惱和壓力。

比如有一個風水流派，把人分成八種命，把方位分為八宮，認為不同命理的人必須住不同的「宮」，才能趨吉避凶。這就是民間流傳甚廣卻令人倍感困惑的「東四命居東四宅、西四命居西四宅」的說法。

不同命理的人適宜在不同的方位居住，從理論上看應該說不無道理。問題是，這個「命」是怎麼測出來的？這種流派運用的方法就是推算生辰八字，也就是完全按照出生的時間來判斷一個人的命運，這是錯誤的做法。因為一個人的命運不純粹是由出生時間決定的。

按照陰陽五行學說「天人合一」的思想，人的命運與天、地、人三者皆有聯繫，出生時間（生辰八字）固然是必要因素，出生方位也很重要，地理環境、風土人情都會影響到人的成長；但人本身，他的體質、氣質、性格，才是決定一個人健康和命運的最重要因素。怎樣確定一個人的人格個性，我曾寫了一本書《五行識人》，就是從天、地、人三個方面來判斷的，缺一不可。

風水既要順天，也要應人，如果只抓住生辰八字做文章，以一個點涵蓋全部，是誇大，是過度運用。

其實，古代風水學派很多，各派說法不一，不少艱澀難懂、語多荒謬，天長地久已被漸漸淘汰，乏人問津。現在對它進行客觀研究，吸取其精華，揚棄其糟粕，是非常有必要的。對廣大老百姓來說，作為一種曾經存在過的古代文化現象去加以了解，未嘗不可。但市場上有些風水書，偏愛魚龍混雜，甚至於誇大其詞，加以炒作，越搞越神乎，結果陷入迷信的泥潭。

我認為，好風水就在自己的心中——一個讓你看得舒服、住得舒心的地方，就是屬於你的風水寶地。如果實在想找個人看看，那麼不妨讓自家的孩子出場。純陰純陽之體、童真之氣的孩子，對自然的感應能力強；孩子純真的眼睛和心靈，也沒有被各種說教所蒙蔽。如果孩子特別喜歡這地方，喜歡這房子，那就不要瞎折騰，不要改來改去。人的舒適愉快、身心和諧，不就是住宅風水的目的嗎？

挑選健康養生宅

歷代帝王對自己都城、陵寢等地的挑選都是很嚴苛的，而現在人們居住的地方，尤其是城市裡，較以前都縮減了很多，購置的價錢又很高，所以在挑選住宅的時候，大家也就都格外注意，希望能找到健康的福地。這是人們心中的美好願望，也是可以操作的。

「前有照，後有靠」，是一般選宅時常用的原則。其中「前有照」，有兩層意思，一是房屋前方要有日照，也就是光線要好，這很好理解，所以我們一般選擇朝陽、朝南的房屋居住。二是房屋前方要有水照。中國人居住在北半球，方位上朝南，在五行學說裡屬「火」，火性炎上，需要用潤下的「水」來制約。這是風水學「整體和諧」思想的體現。所以，古人認為房屋前方（注意是指地勢上的前方，不是眼前）有河道、流水、流動的地勢，才能陰陽平衡、利於健康。

而現在一些業餘風水愛好者，不探究五行學說的真實含義，把「前有水照——前方氣勢流動」誤解為「家門口要有水」，沒有水的就在門前挖個池塘，結果給兒童帶來了安全隱患，反而大不利。古人說的「前有照」是就遠處的「勢」而言，而不是指近處的「形」，僵化地照搬就麻煩了。

「左青龍，右白虎」，也是選宅時的一項常見原則。中國人大多坐北朝南而居，房屋的左面是東方，五行屬木，五色屬青，故以青龍代之。房屋右面，即西方，五行屬水，五色屬白，故以白虎代之。古人認為，房子的青龍、白虎位（東方、西方），最好要有山巒環抱，以此護生東方陽氣、藏風聚氣，制約西方陰氣、阻擋西北風和寒流。而且，東方「龍抬頭」，地勢宜高強張揚，西方「虎下山」，地勢宜低弱收斂。這種「左高右低」的認識，則又跟五行學說密切相關，這要從功能上理解，不能僵化地把地理解為高度的差別。

正如中醫學所說的「左肝右肺」，意思是肝氣功能生發、肺氣功能肅降，並不是說肝在左面肺在右面。如果對「左高右低」之說只是望文生義，自家東鄰的樓要比自己高，西鄰的樓要比自己矮，豈不反而沐浴不到朝陽？豈不反而夏季遭受曝曬、冬季直面寒風？所以，只有深刻理解陰陽五行的含義，才能避免以上簡單附會的錯誤。

臥室要聚人氣

我們買了房子之後，首先要做的可能就是裝修，然後購置傢俱、電器等，把家好好布置一下。在這些步驟中，我們能意識到的健康問題可能就是：選擇綠色家裝材料，買有品質保證的物品。其實從「風水」的角度來看，還有很多需要注意的地方。

比如現在人們都愛買大屋、住大屋，看著敞亮，活動空間大，又方便納客。其實並不是每間屋子都大才好，要根據房間的用途來區分大小。古人在風水中很講究「人氣」、「陽氣」，每當遇到不見日光人又少的地方，我們總會說「這裡陰氣太重」，這就是缺少人氣、陽氣的表現。陰氣重當然不像影視作品中演的那樣，就有鬼等不淨的東西，而是陰氣重的地方會對健康有很多不利之處。如果在這樣的地方住的時間長了，會比較容易患上陰寒之症。

前面我們也說了，要住有日照的地方，同樣，也要住有人氣的地方。如果臥室的空間太大，人又少，就容易散氣。人是一個能量場，無時無刻不在向外散發著能量，一個空間裡如果常有人活動，就會給人舒適、陽氣充足的感覺；如果長時間沒人住，即使打掃得很整潔，也會給人一種「空」的感覺，這就是「人氣」的作用。

所以為了聚斂人氣，不宜選擇過大的臥室，二十平方公尺（約六坪）以下就好，這樣會更突出家的溫馨感，讓人覺得舒適、溫暖。

此外，臥室裡也不宜有太多的電器。科學的解釋就是：所有家電都是能量源，無論開關都會釋放出不利於人體的物質，這樣的輻射多了，對我們的健康自然不利；而且家電多了，臥室的溫度自然就會升高，破壞臥室內的溫度平衡，人們會覺得煩躁與不舒服。用風水的解釋就是：這樣的房屋好像古時所說的「火宅」，是很不利於健康的。火宅一般都會釋放過多能量，從而影響人們的思想跟健康。

為什麼說火宅會影響思想呢？其實「火宅」這個詞是佛家語，比喻人世的諸多煩惱。明明已烈火熊熊，但人們還貪圖安逸與財富等，不願逃離。所以火宅會影響我們的心智，使我們思想不清明。

人是最重要的風水因素

任何方法都是靈活的，對於風水中的「術」來說更是如此。要在「陰陽互補」、「天人合一」、「整體和諧」、「五行平衡」的大道之下，靈活運用各種「術」，也就是「方法」。要理解不要瞎猜，要變通不要僵化。尤其是在選擇居住場所、環境擺設時，要清醒地認識到：人才是最重要的決定因素，要依據個人的體質來選擇環境風水。比如：

一個人性格外向，性急好鬥，面色紅潤，怕熱易渴，喜冷飲，口燥咽乾，手足心熱，陰液虧少，多屬陽亢陰虛體質，五行屬火。這樣的人如果住在陽光直射、炎熱乾燥的方位，屋裡又有一大堆色彩濃豔、炫目刺激的擺設，牆上或窗簾又是紅黃色的、豔麗的色調，則頗有心腦血管疾病之虞。

如果怕冷畏寒，面色蒼白，手足不溫，喜熱飲食，精神不振，肌肉鬆軟不實，冬天愛長凍瘡的人，多屬陽虛體質，五行屬水。這樣的人不適合住在陰強陽弱的北面，房間內色彩不宜用冷色調，不宜擺放過多深色尤其是黑色的物品。

《紅樓夢》中就有這樣一段描述薛寶釵居所的文字。

及進了房屋，雪洞一般，一色玩器全無，案上只有一個土定瓶中供著數枝菊花，並兩部書，茶奩茶杯而已。床上只吊著青紗帳幔，衾褥也十分樸素。賈母歎道：「這孩子太老實了。你沒有陳設，何妨和你姨娘要些。我也不理論，也沒想到，你們的東西自然在家裡沒帶了來。」說著，命鴛鴦去取些古董來，又嗔著鳳姐兒：「不送些玩器來與你妹妹，這樣小器。」王夫人鳳姐兒等都笑回說：「他自己不要的。我們原送了來，他都退回去了。」薛姨媽也笑說：「他在家裡也不大弄這些東西的。」賈母搖頭說：「使不得，雖然他省事，倘或來一個親戚，看著不像，二則年輕的姑娘們，房裡這樣素淨，也忌諱。我們這老婆子，越發該住馬圈去了……」

賈母的話不無道理。一個正值妙齡的小女孩屋子裡，一般色彩會比較暖，也多喜愛擺放一些小巧的裝飾品。但薛寶釵屋子的擺設跟她的人一樣冷，這是她性格的原因。同樣，其實屋子的擺設反過來也能影響人們的性格跟心情。所以根據年齡、性別、健康狀況等不同，要注意器物的選擇跟擺放。如果是一個內向、冷漠的人，房間就不宜過於清冷，試著布置得溫暖一點，會讓心情變得舒暢。

當然，人的體質錯綜複雜，且時刻運動變化著，所以陰陽五行的歸類不是僵化不變的。這就更加提醒我們：在「天人合一」的思想中，人的因素是多麼重要。靈活變通、合理運用風水學理論，對居住場所進行正確布局，的確有利於居住者的身心健康；但生搬硬套、過分誇大風水布局，無視人的體質、性格和後天努力，把生老病死、吉凶禍福都歸結到房屋上，是有害而無利的。

營造心中的好風水，健康在於好心境

重風水為何失家國

歷代帝王都重視風水，既注重都城的選擇，又注重陵墓。皇帝選擇的自然是好的地方，但為什麼他們占據了天下的寶地，卻還是不能保證壽終正寢，不能讓家國永固呢？

帝王陵中最出名的可能就要數秦始皇的陵墓了。秦王嬴政既掃平六合，統一天下，以為自己德兼三王，功過五帝，遂自號始皇帝，幻想他的子孫世世代代為皇帝，傳至萬世不衰。出於同樣的目的，秦始皇即位之初，就令術士選擇佳地，為自己修陵墓。《史記．秦始皇本紀》中記載：「始皇初即位，穿治酈山。及並天下，天下徒送詣七十餘萬人，穿三泉，下銅而致槨，宮觀百官奇器珍怪徙藏滿之。令匠作機弩矢，有所穿近者輒射之。以水銀為百川江河大海，機相灌輸，上具天文，下具地理。以人魚膏為燭，度不滅者久之。」這是說秦始皇陵墓的布置，鑿地三重泉水那麼深，灌注銅水，填塞縫隙，把外棺放進去，又修造宮觀，設置百官位次，把珍奇器物、珍寶怪石等搬了進去，放得滿滿的。命令工匠製造由機關操縱的弓箭，如有人挖墓一走近就能射死他。用水銀做成百川江河大海，用機器遞相灌注輸送，頂壁裝有天文圖像，下面置有地理圖形。用娃娃魚的油脂做成火炬，估計很久不會熄滅。陵墓修好之後，秦始皇將七十萬生靈悉數埋葬在陵墓中。然而，秦始皇死後僅二十年，就烽煙四起，秦王朝在統一天下十五年之後就土崩瓦解，灰飛煙滅了。

像這樣的例子數不勝數，也足以證明，地理的風水不是決定命運的指標，只有當德與之兼併的時候，才能使其凸顯出更大的作用，同時，德與性可以反過來影響風水，即使在不太為人看好的地方，也可以有好的際遇。

徽州風水①——西遞、宏村

徽州是個崇尚風水的地方，「徽」這個字本身就囊括了「人文山水」在其中，所以徽州的風水不光是地靈的自然風水，更有人傑的人文風水。

在安徽省長江以南的地區有兩個非常出名的村落——西遞和宏村。幾彎碧水旁錯落有致地矗立著粉牆黛瓦的民居，雖然由於年代久遠，牆壁的白粉已然斑駁，但從高高的圍牆還是能看出它們昔日的氣派。

皖南古村落選址、建設，遵循的是有著兩千多年歷史的《易經》風水理論，強調天人合一的理想境界和對自然環境的充分尊重，有強烈的徽州文化特色。

明、清時徽商經濟實力雄厚，而在外發了財如果不衣錦還鄉，就如同穿了件錦服在暗夜中行走，絲毫沒有意義。所以徽商都會在家鄉起棟氣派的房子，院牆高拔，房簷做成馬頭狀，好像隨時都會奔騰而出。值得一提的是，每家院中都有一塊陽光可直射的露天地方，這就是天井。透過天井，陽光照到院中，孩子可以在裡面嬉戲玩耍，大人可以一邊曬著太陽一邊做活。但這個天井又不能開得太大，大則散氣，把自己的財氣、人氣都散到外面去了。

宏村有兩片水域，一為月沼一為南湖，但偌大一個南湖原來卻並不存在，它是怎麼來的？又為何而來呢？宏村是在南宋時才開始有人居住的，宏村始祖見這裡是塊上風上水的佳地，就決定在此定居。若干年後，由於一次大雨，周邊的河流改道，使宏村呈背山面水之勢，這種改變使得宏村興建者喜不自勝，看來他看重的真是一塊寶地，完全體現了「負陰抱陽」的風水理念。

到了明朝，宏村人為了尋求更好的發展，聘請了當時最著名的風水大師何可達。何可達前後用了十年時間，最後認定宏村的地理風水形勢是一臥牛形。他把村裡的一個泉眼掘開，做成一個水塘，取名「月沼」，是這頭臥牛的胃。宏村人本以為這樣，生活就會蒸蒸日上，但出乎意料的是，他們的生活並沒有什麼明顯的改變，於是何可達不得不重新思考這個問題。經過研究，他認為牛本是反芻動物，不應只有一個胃，而現在只有一個月沼，這就是宏村不發達的原因所在。於是在月沼的西南邊挖建了南湖，讓月沼的水流到南湖裡，人為地做出了兩個牛胃。其後，這裡的風水好像真的發生了神奇的變化，商人和文士越來越多，在全國都為翹楚。

徽州風水②——孝悌傳家

徽州人對祖先有著無比的崇敬之情，祭祖是他們非常重視的事情之一。宗族裡的祠堂也是修建得最莊重、氣派的地方。很多家都有「孝悌傳家根本，詩書經世文章」之類的對聯。「孝」和「書」構成了徽州濃厚的人文風水。

西遞有座始建於明萬曆年間的敬愛堂，是胡氏的宗祠，面積近兩千平方公尺，為西遞現存祠堂之最，整個村莊皆以該堂為中心布局設計。

「敬愛堂」三字既啟示後人敬老愛幼，又示意族人互敬互愛、和睦相處。故作為宗祠的敬愛堂，一直是祭祀胡氏列祖列宗之所，同時兼做宗族議事，族人婚嫁喜慶、訓斥不肖子孫的地方。

敬愛堂上庭橫坊上高懸「敬愛堂」匾額，赫然醒目。即使是非本族的遊人來此，也感受到有一股威然不可侵犯的氣韻充溢在周遭。作為西遞最為神聖的地方，敬愛堂則是以儒家的仁義廉恥、忠孝節義等倫理文化來教育規範自己的子孫。這裡的一磚一石、一柱一樑，都無處不在宣揚著儒家思想，表現著強烈的宗法秩序。據說宗族中若有重大事情，都要把族人集中於此議事，並由輩分高、資格老且有文化才能、德高望重的族長主持族會和表態定奪，特別是對那些不肖子孫做了違反族規的壞事，輕者當眾批評，責令檢查，重者開除祠堂，不得姓胡，並當眾從此取走其祖父、父親的神位並焚火燒毀。

在敬愛堂裡，有一個一公尺見方的「孝」字，這個孝字的上部，極像一個昂首作揖尊老孝順的年輕人，而這人的後腦勺卻是一個尖嘴猴腮的造型。一個孝字寫在這裡，告誡族內眾人，尊老孝順者為人，忤逆不孝者為畜生。據說此字是程朱理學的集大成者朱熹當年造訪西遞時所書。一個孝字，就這樣深入淺出地在這裡向一代代的西遞人一遍遍地講述著「忤逆忠信，禮義廉恥」的為人準則，也記錄了胡氏宗族在西遞近千年繁衍生息的歷史。

實際上，這敬愛堂裡的「孝」字就是程朱理學核心思想在西遞的影子，一個簡單的「孝」字，蘊涵著如此豐富的內涵。

除了道德建設，徽州人還很注重學識的培養。徽州有很多書院，出過許多才子，僅清朝就有十九位狀元。徽州人不僅人為地尋找風水寶地，在自然的基礎上加以打磨，更因他們注重自身的修養，不是靠天地吃飯，而是靠自身來營建幸福的家園，所以才有了日進斗金的徽商和大名鼎鼎的名士。

我一再強調，所謂的風水不單單是看陰陽，看地形，看建築，更要看一方水土裡養育的這些人，看「人」才是風水的根本所在。若人有豐厚的學養與高尚的德行，才能把當地的好風水發揚光大，否則任何龍脈、寶穴都不能挽救失德敗性的家族。

德薄風水失，德厚風水聚

唐代著名的風水大家楊公先師寫過一首詩：

吉穴真龍行處有，須從道德早先籌，
龍真穴吉能招福，無德之人莫強求！

這裡面包含了兩層含義。第一層是說，要想有好的風水，先要有好的德性，道德高尚的人自然會遇到福澤；第二層說，即使是有好的外部環境，但如果自身是無德之人，也不會有好的際遇，所以也就不用強求了。

傳說宋朝時期的奸相秦檜，想找一個能讓子孫後代都永享富貴、為侯為王的好陰宅，於是就以權勢威逼當時的風水大師賴布衣替他選址。賴布衣本不願助紂為虐，但在家人生命受到威脅的情況下，只好屈於淫威，布下一個必出王侯的奇局。秦檜很高興，就把祖墳遷移至此。

事後賴布衣和家人遠走到南方，浪跡江湖，避開了奸相的逼害和利用。臨走時，他來到這塊福地前，悲憤地說：「此地不發無地理，此地若發無天理！」其後，秦檜依然多行不義，而且愈演愈烈。忽然有一夜，天昏地暗，狂風暴雨，雷電交加，竟然使秦檜祖墳的山川地形都發生了變化，差之毫釐，卻已是天淵之別，原來的福地，一夜間被改成了滅族抄家之地，秦檜自己也遺臭萬年。

《周易．乾．文言》中說：「君子進德修業。」唐孔穎達注：「德，謂德行；業，謂功業。」由此可知，「德」的本意就是恪守道德規範者的「操守」、「品行」。如「功德、品德、德才兼備、德行」等。儒家認為，「德」包括忠、孝、仁、義、溫良、恭敬、謙讓等。道家則以為，所謂天地萬物之自然為「道」，而各種事物所得之自然為「德」。對人而言，便是品德。所以《周易．乾．文言》又說：「是故居上位而不驕，在下位而不憂。故乾乾因其時而惕，雖危無咎矣。」是說如果有德，無論在什麼環境下，身居於何種位置，都會無憂無畏，化險為夷，轉危為安。

看風水調出好心性

自然條件好的地方，可以促進人的發育以及改善生活生產條件，「人才輩出」也就合情合理。早有科學研究表明，好的環境可以使大腦效率提高百分之十五至三十五，良好的環境不僅有利於人類的身體健康，還為人們的大腦發育提供條件。

舉個最顯而易見的例子，如果居所或工作的環境有很多輻射源，不僅人的皮膚會變得粗糙，還很有可能會患上惡性疾病。在江南形勝之地，有著得天獨厚的自然景觀和豐潤的水土，不但經濟發達，而且孕育了很多名士。除了政治、社會等因素外，不能不說跟當地的自然環境有關。現在人類的生存環境日益惡化，我們就更要重視風水，「天人合一」的思想也將產生更大的作用。

但環境畢竟是外部因素，只有當我們內心同樣充盈的時候，這個環境因素才能產生最大的作用。在再好的環境中，整日憂心忡忡也不會有健康的。所以，我一再強調，內心的安靜、平和、美好才是一切的基礎，要想幸福，想健康，若沒有一份好心情，就如同水中撈月，可望而不可即。

陶淵明有一首《飲酒》詩：

結廬在人境，而無車馬喧。
問君何能爾，心遠地自偏。
采菊東籬下，悠然見南山。
山氣日夕佳，飛鳥相與還。
此中有真意，欲辯已忘言。

這就是在劣境下猶能把持自我、想我所想、做我所做的例子。修心，無論於儒、於釋、於道，都是大基礎，大修為。就健康來講，我們要修的就是心態平和，是心情快樂，是心地善良，是心胸開闊，是心靈純淨。

所以說風水並不都是玄之又玄的迷信，它既是擇佳處而處的學問，同時也是鍛鍊自身，從「我」中找尋健康、找尋幸福的大學問。

我們始終應該記得，個人的努力才是保證身體健康的最重要因素，醫生治病時常強調所謂「求生的意念」，其實也就是在強調主觀能動性的重要。所以在選擇風水的同時，千萬別忘記加強自己的修煉。

國家圖書館出版品預行編目資料

易經養生全解 / 張其成著. -- 初版. -- 臺北市 : 商周出版 : 家庭傳媒城邦分公司發行, 2011.01
面； 公分. -- (商周養生館 ; 21)

ISBN 978-986-120-552-6 (平裝)

1.易經 2.養生

411.1 99026571

商周養生館21

易經養生全解

作　　者 / 張其成
企畫選書人 / 徐藍萍
責任編輯 / 徐藍萍

版　　權 / 林心紅、翁靜如、葉立芳
行銷業務 / 林詩富、葉彥希
副總編輯 / 黃靖卉
總 經 理 / 彭之琬
發 行 人 / 何飛鵬
法律顧問 / 台英國際商務法律事務所 羅明通律師
出　　版 / 商周出版
台北市104民生東路二段141號9樓
電話：(02) 25007008 傳真：(02)25007759
blog:http://bwp25007008.pixnet.net/blog
E-mail：bwp.service@cite.com.tw
發　　行 / 英屬蓋曼群島商家庭傳媒股份有限公司 城邦分公司
台北市中山區民生東路二段141號2樓
書虫客服服務專線：02-25007718；25007719
服務時間：週一至週五上午09:30-12:00；下午13:30-17:00
24小時傳眞專線：02-25001990；25001991
劃撥帳號：19863813；戶名：書虫股份有限公司
讀者服務信箱：service@readingclub.com.tw
城邦讀書花園：www.cite.com.tw
香港發行所 / 城邦（香港）出版集團有限公司
香港灣仔駱克道193號東超商業中心1樓_ E-mail:hkcite@biznetvigator.com
電話：(852) 25086231 傳眞：(852) 25789337
馬新發行所 / 城邦（馬新）出版集團【Cite (M) Sdn. Bhd. (458372U)】
11, Jalan 30D/146, Desa Tasik, Sungai Besi,
57000 Kuala Lumpur, Malaysia
電話：（603）90563833 傳眞：（603）90562833

封面設計 / 李東記
排　　版 / 極翔企業有限公司
印　　刷 / 韋懋實業有限公司
總 經 銷 / 聯合發行股份有限公司 電話：(02) 29178022 傳眞：(02) 29156275

■2011年 1月28日初版
■2011年 2月24日初版5刷
定價300元

Printed in Taiwan

 ISBN 978-986-120-552-6

繁體中文版由廣西科學技術出版社授權出版發行
《易經》養生大道，張其成著，2009年，初版

廣　告　回　函
北區郵政管理登記證
北臺字第000791號
郵資已付，免貼郵票

104　台北市民生東路二段141號2樓

英屬蓋曼群島商家庭傳媒股份有限公司城邦分公司　收

請沿虛線對摺，謝謝！

書號：BUD021	書名：易經養生全解	編碼：

請於此處用膠水黏貼

讀者回函卡

謝謝您購買我們出版的書籍！請費心填寫此回函卡，我們將不定期寄上城邦集團最新的出版訊息。

姓名：________________

性別：□男 □女

生日：西元________年________月________日

地址：________________

聯絡電話：________________ 傳真：________________

E-mail：________________

職業：□1.學生 □2.軍公教 □3.服務 □4.金融 □5.製造 □6.資訊

□7.傳播 □8.自由業 □9.農漁牧 □10.家管 □11.退休

□12.其他________________

您從何種方式得知本書消息？

□1.書店□2.網路□3.報紙□4.雜誌□5.廣播 □6.電視 □7.親友推薦

□8.其他________________

您通常以何種方式購書？

□1.書店□2.網路□3.傳真訂購□4.郵局劃撥 □5.其他________

您喜歡閱讀哪些類別的書籍？

□1.財經商業□2.自然科學 □3.歷史□4.法律□5.文學□6.休閒旅遊

□7.小說□8.人物傳記□9.生活、勵志□10.其他________

對我們的建議：

____

____

____

____

請於此處用膠水黏貼